LA ESTRUCTURA PARODICA
DEL *QUIJOTE*

OTRAS OBRAS DEL AUTOR

publicadas por

TAURUS EDICIONES

- *Los orígenes de la novela decimonónica (1800-1830)* (Col. «Persiles», núm. 65).

- *El triunfo del liberalismo y de la novela histórica (1830-1870)* (Col. «Persiles», núm. 94).

- *La novela por entregas (1840-1868)* (Col. «Persiles», núm. 56).

JUAN IGNACIO FERRERAS

LA ESTRUCTURA
PARODICA
DEL *QUIJOTE*

taurus

Cubierta
de
Manuel Ruiz Angeles

© 1982, Juan I. Ferreras
TAURUS EDICIONES, S. A.
Príncipe de Vergara, 81, 1.º - MADRID-6
ISBN: 84-306-2134-2
Depósito legal: M. 14.635-1982 .
PRINTED IN SPAIN

INDICE

PROLOGO

> Porque te sé decir que, aunque me costó algún trabajo componerla [la historia de Don Quijote], ninguno tuve por mayor que hacer esta prefación que vas leyendo.
>
> Parte I, Prólogo.

El ensayo que sigue ha salido, casi entero, de la necesidad que tenía yo de hacer un prólogo. Preparo una edición del *Quijote* para las Ediciones Urbión y necesitaba presentar la obra, y a vueltas con la presentación y a vueltas sobre todo, con todos los libros y notas que me rodeaban, me fue saliendo lo que para un prólogo resultaría largo y, quizá, corto para un ensayo.

Creía yo, y sigo creyendo, en la necesidad de ofrecer una guía al lector del *Quijote*, pero resulta que todas las que conozco, y algunas son excelentes, no guían al lector por la obra, sino por la interpretación que de la misma se hace el autor de la guía. Pero ¿hay alguna manera de ofrecer sin interpretar? Quizá no.

La interpretación que sigue, porque al fin no puede dejar de ser una interpretación, tiene la ventaja o la desventaja de no estar basada en ninguna significación de la obra, sino en una lectura del funcionamiento de la misma. Como explico, creo que prolijamente en la «Introducción», me he interesado más por el *cómo* que por el *qué* de nuestra mayor novela.

Pero la lectura que sigue hubiera necesitado de una mayor demostración, tenía yo que haber acumulado las citas y las notas, a fin de mostrarme más convincente a la hora de sacar conclusiones, y a la hora, sobre todo, de llevar al lector de la mano. No ha sido así ni tampoco lo he querido así. Lo cual no quiere decir, ni mucho menos, que no haya escrito yo las páginas que siguen rodeado de libros y de notas que no han de aparecer más adelante.

No podía ser de otra manera si se recuerda lo que dije más arriba: que preparo una edición de la inmortal novela, y que la quiero cumplida y autorizada.

En lo que sigue tiene que haber, por fuerza, reminiscencias de los millares de notas que he entresacado de los Bowle, R. Schevill y A. Bonilla, Diego Clemencín, sobre todo de Givanel Más, Rodríguez Marín, Rufo Mendizábal, Juan Alcina Franch y de tantos otros. También se han de encontrar ideas de Américo Castro, Ortega, Madariaga, Francisco Ayala, Dámaso Alonso, Alberto Sánchez, Joaquín Casalduero, José Antonio Maravall, López Estrada, Stephen Gilman, Astrana Marín, Luis Rosales, E. C. Riley, y de los más modernos, por no decir últimos en mis lecturas: Juan Bautista Avalle-Arce y Luis Andrés Murillo.

Y más, aún más, para el capítulo VI, por ejemplo, me he basado en los libros de Helmut Hatzfeld y Angel Rosenblat.

Pero es claro que no puedo citar a todos, puesto que me he dejado influir y sugerir por ellos casi de una manera inconsciente; y con todo, y con todo, el libro que sigue ha sido construido un poco en contra de todos los que he citado y de los que he olvidado de citar; aunque quizá el término *contra* no sea el más exacto, mejor diría al margen, como de soslayo, mirándolos, admirándolos sin duda, pero preocupado por abrir un nuevo camino del que bien sabe Dios que no puedo estar seguro.

¿Qué más? Sí, tengo que decir que estando estas páginas a punto de imprenta, las leyó Fernando Lázaro Carreter y tuvo a bien sugerirme algunas correcciones, y como verá este mismo amigo, si las vuelve a leer, a veces he seguido sus consejos y a veces no; lo cual, finalmente, carece de importancia, ya que lo importante fueron sus palabras de aliento y de comprensión, y éstas sí que de ninguna manera pueden ser corregidas.

Una advertencia final: todas las citas del texto del *Quijote* están tomadas de mi edición.

Madrid, febrero de 1981.

INTRODUCCION

Es grandísimo el riesgo a que se pone el que
imprime un libro, siendo de toda imposibilidad
imposible componerlo tal, que satisfaga y conten-
te a todos los que le leyeren.

Parte II, III.

I

Acercarse, como crítico o simplemente como estudio-
so, a Cervantes, causa, en primer lugar, una aguda des-
confianza en uno mismo; y no porque Cervantes sea un
hombre del pasado, sino porque también es un hombre
y una obra del presente.

Cervantes, el fenómeno cultural llamado Cervantes, el
fenómeno cultural llamado *Quijote*, posee la dificultosa
virtud de la síntesis y de la obertura; parece un fin porque
es un resumen y, sin embargo, es síntesis que señala un
principio.

Para comprender una obra como el *Quijote* necesitamos tener en cuenta la génesis de la misma, qué hombre
la escribió, qué sociedad la inspiró y también, en cierto
sentido, la produjo; en un libro así, sabemos que se hallan
presentes, esperanzas y desesperanzas de toda una época,
de toda una colectividad.

La crítica cervantina, ese inmenso caudal de hombres
y de libros, estudia, ha estudiado, estudiará sin duda, de

dónde viene, cómo empezó esta aventura; qué significado y qué significados tienen esas palabras escritas de una vez para siempre... qué quiso decir.

Este *qué quiso decir* es el oculto designio de todo crítico, porque no hay crítico que no desee clarificar el significado total de la obra que estudia; porque de lo que se trata, en definitiva, es de encontrar significados, aunque para ello haya que pasar por encima, inevitablemente y a veces como sobre ascuas, sobre los significantes.

No trato de traer aquí la tan socorrida dicotomía lingüística de significado y significante que, *stricto sensu*, sólo podría ser aplicada al lenguaje, sino de apoyarme en una metáfora que creo transparente.

Por eso prefiero plantear el problema en términos más sencillos, de una parte tenemos el sueño crítico del *qué quiso decir*, del otro el *cómo lo dijo*. El *qué quiso decir* se refiere al significado total de la obra, al más totalizante y esclarecedor; el *cómo lo dijo*, podría pasar simplemente como un camino inevitable.

Pero planteemos esta dicotomía del *qué quiso decir* y del *cómo lo dijo* de una manera más amplia, más prometedora.

De todos es sabido que una obra artística, que un libro literario para ser más preciso, es la expresión de un momento cultural, de un hombre que interpreta un momento cultural, de un grupo o conciencia colectiva que busca expresar un momento cultural, etc. No nos encontramos ante un reflejo, fácil subterfugio crítico que suele acabar siempre en la tautología más inocua, sino ante una expresión, y mejor, ante una materialización: la conciencia individual y colectiva, la cultura en fin si seguimos con el símil del fenómeno cultural, se materializa, se ha materializado en una obra.

Siendo toda obra literaria una materialización artística, sabemos también que nos encontramos ante una estructura que en principio posee sus propias reglas internas. Un soneto será siempre un soneto si cumple con las reglas poéticas que lo conforman como tal, su contenido puede ser bueno o malo, puede ser incluso inexistente, pero será soneto si cumple con las reglas métricas.

La estructura literaria de una obra es la esencia misma de su especificidad; una obra es literaria si posee estructura literaria, si cumple con las reglas o leyes internas de esta estructura, etc.

El problema de la descripción, o en su caso del descubrimiento, de la verdadera estructura literaria, es un problema de escuela y generalmente bien resuelto por la escuela o por las escuelas teóricas del momento; lo que se suele descuidar no es la descripción del «fondo» y «forma» de una obra, sino la relación entre los dos.

De la misma manera, para volver al ejemplo anterior, el problema no está en la descripción de significado y significante, sino en la descripción de las relaciones que obligatoriamente median, los dos términos de la dicotomía lingüística.

En una obra literaria, en una novela, para ceñirnos un poco más, nos encontramos así ante un contenido (el *qué quiso decir)* y una forma, aquí novela (que, en parte, corresponde al *cómo lo dijo* de antes).

Cervantes en su *Quijote,* escoge o se impone la forma, la estructura novela, para materializar o expresar lo que quería decir. Ahora bien, ha de haber una correspondencia, quizá una armonía que llamaremos coherencia, entre el contenido del *Quijote* y la estructura novelesca materializada.

Esta correspondencia, esta coherencia o equilibración conseguida, ha de llevarnos de la mano a plantearnos el problema de las mediaciones, determinantes o no, que existen entre lo que hemos llamado contenido y lo que seguimos llamando estructura novelesca.

En estas relaciones o mediaciones que van del contenido a la estructura, y de la estructura al contenido, sin duda, nunca sabremos con precisión de dónde parte la corriente y a dónde llega; de dónde sale el impulso y dónde culmina... seguramente nunca lo sabremos con precisión porque entre los dos polos de esta relación no hay nada parecido a una corriente eléctrica, sino otra cosa, una totalización vibrante, una estructura más o menos viva.

Si nos encontráramos ante una «mala» novela, la diferenciación entre contenido y estructura sería más o menos fácil: el autor ha querido decir esto, pero no lo sabe decir, su novela se trunca, falta un final claro, etc. En una novela de tesis, por ejemplo, las intenciones del autor suelen estar declaradas de entrada, el lector sabe de antemano lo que intenta demostrar el autor, y después comprueba que precisamente esta intención da al traste con lo que llamamos una estructura novelesca.

Cada época y cada momento cultural se materializa, con más o menos fortuna, en una o en varias formas literarias conocidas y repertoriadas; cada época, cada conciencia colectiva, crea además estas estructuras cuando las necesita, única manera de expresarse con la mayor amplitud posible. Sabemos el significado de un poema épico, sabemos que sólo un héroe colectivo puede ser materializado en una epopeya, y sabemos también que esta forma *epopeya* corresponde a ciertos tipos de sociedad también repertoriados, y así, cuando los humanistas, o ciertos humanistas, intentaron resucitar la epopeya, comprobamos el fracaso (el contenido no correspondía a la forma empleada, etc.).

Falta en la Historia de la Literatura una fenomenología de las formas literarias, de esas estructuras que conocemos con nombres muy precisos (novela, drama, soneto, poema, etc.) y falta, una vez más lo diré, porque el señuelo, que no el sueño, del crítico sigue siendo el conseguir la significación total de la obra.

Porque ocurre que si seguimos partiendo de contenido y estructura literaria o forma, ninguna significación se puede obtener si no tenemos en cuenta el contenido, la forma y la relación entre los dos.

Hora es ya de decir, antes de seguir adelante, que los términos tradicionales de *forma* y *contenido* se emplean aquí con significaciones precisas: el *contenido* tradicional no es más que una visión del mundo no conceptualizada, y la *forma* lo que hemos llamado estructura literaria, en nuestro caso novela. La visión del mundo, de origen y génesis colectivas, produce lo que he llamado en otros libros míos *problemática* de la obra; la visión del mundo vendría a ser también el conjunto de recuerdos, esperanzas, sentimientos, aspiraciones, desequilibrios sentidos y presentidos, de un grupo social; este grupo social produce el individuo, el autor, capaz, y a veces solo, de expresar o materializar la visión del mundo del grupo (la puesta en claro de las relaciones entre sujeto individual o autor, y sujeto colectivo o grupo social, no es de este lugar).

Contenido es, pues, una visión del mundo, lo que también se ha llamado un momento cultural; y forma es la estructura literaria, la novela (naturalmente aquí se enlaza otro problema, el del origen social de la forma o estructura literaria llamada novela, problema que también ha de ser soslayado en estas páginas).

Una novela, y más aún una gran novela, podemos ya adelantar, será aquella en la que la visión del mundo del autor y la estructura literaria alcanzan una gran coherencia; en la que se logra una totalización rica en significados, y tanto más rica o coherente cuanto que la diferenciación entre contenido y forma parece muy difícil de conseguir o de describir. En una gran novela, el crítico diferenciador se pierde con la mayor facilidad del mundo: nunca sabe a ciencia cierta si tal o cual elemento es contenido o forma; sabe, teóricamente sabe, que se encuentra ante dos elementos que conviene distinguir, dos campos, dos objetos de estudio, pero como la gran novela es también un universo bien reglado y armonizado, todos los elementos del mismo tienden a confundirse e incluso a intercambiarse.

Si, como vemos, ante una gran novela el análisis está erizado de dificultades, ¡qué decir, cuando no solamente se intenta separar estos dos elementos, contenido y forma, sino también estudiarlos en relación, *mediándose!* Conseguir la primera dicotomía es difícil, comprobar cómo se conjugan, interrelacionan, median, los dos elementos diferenciados, es o parece ya imposible.

Naturalmente nos estamos refiriendo a una gran novela, a la novela perfecta, a un ente de razón hacia el que tienden todas las grandes novelas, pero al que ninguna llega.

Creo que nos hemos alejado ya de aquel *qué quiso decir* y de aquel *cómo lo dijo*, que nos sirvió de principio, para plantear el problema de una forma un tanto más amplia y quizá profunda. Se trata ahora de escoger un camino, quizá un método, para seguir avanzando.

Sin ningún menosprecio para la crítica o el camino metodológico que intenta desentrañar el contenido de una novela como el *Quijote*, vamos a intentar fijar nuestra intención en la estructura literaria de esta obra; presuponiendo, a pesar de todo, que no puede haber un camino privilegiado, que todos conducen a la Roma del significado total.

Tampoco hay que hacerse ilusiones, ante una obra como el *Quijote* ningún análisis puede existir por sí solo; la obra es tan grande o tan rica que inevitablemente surgen los contactos, las concomitancias, las relaciones inevitables. El simple estudio de la estructura literaria, de la forma novela en el *Quijote*, plantea la inexcusable relación de esta obra con las demás novelas del autor.

Hay un gran camino recorrido desde *La Galatea* de 1585 hasta el póstumo *Persiles y Segismunda* de 1617; pero este camino ¿fue siempre lineal?, ¿fue ascendente?

Para desbrozar el camino, podemos ya sostener que el *Quijote* se sitúa por encima del resto de la producción novelística del autor; comprendo que es difícil aislar, siempre hasta cierto punto, la novela *Quijote* con el resto, pero no tratamos aquí de la génesis de la obra, del itinerario recorrido o por recorrer, sino de una forma que ya se ha revelado como la más importante, como la más rica. ¿Nos será lícito empezar el estudio de la estructura literaria del *Quijote* por el *Quijote* mismo?

¿Podremos ya centrarnos en una descripción estática, la forma escogida, y en una descripción dinámica, su funcionamiento?

Cervantes ha escrito varias novelas, pero solamente en una de ellas ha empleado una estructura novelística precisa, y también conocida por los tratadistas. Me estoy refiriendo a la parodia, estructura paródica, novela paródica, etc.

Quizá, para volver atrás, podríamos legítimamente sospechar, a partir de este momento, que precisamente la estructura paródica le permitió a Cervantes materializar con mayor riqueza su visión del mundo. Si en teoría a cada visión del mundo, a cada problemática, le corresponde una forma «ideal», o la mejor forma posible, la estructura paródica del *Quijote* permitió a Cervantes materializar su pensamiento mejor que la estructura entre pastoril y ya bizantina de su *Galatea*, o la estructura claramente bizantina de su *Persiles*.

Si tomamos como punto de mira estos tres momentos cervantinos, observaremos inmediatamente que en los tres el autor intenta una totalización, intenta una organización, un universo completo o el más rico posible. En *La Galatea* emplea la forma o la estructura de la novela pastoril, pero en seguida se puede observar que Cervantes no puede encerrarse en los, para él, estrechos límites de este tipo de novela, y por eso engarza novelas o historias independientes dentro del mismo cuerpo del libro; y por eso, y es más importante, sus pastores o sus historias pastoriles tienden al realismo, tienden a la reproducción o recreación de la vida real; en lugar de situar unas vidas novelescas en el sin duda sublime mundo del neoplatonismo, donde toda armonía tiene su asiento, Cervantes, a vueltas con un mundo real y objetivo que intenta recrear, escribe o recrea un universo donde el desorden, y también el crimen y la sangre, destruyen toda armonía, toda comunión en un solo ideal.

Si vamos ahora al final, a su *Persiles*, de nuevo observaremos que Cervantes intenta una totalización, un universo amplio, una galería de historias y de hombres y mujeres; la crítica ha creído distinguir en varios de los personajes de la novela la materialización de un vicio o de una virtud; la crítica ha señalado el camino de los protagonistas como una peregrinación de significado más alto que el vulgar errar de la novela bizantina.

Cervantes parece obsesionado por la representación de un mundo entero, por lo que hemos llamado una gran totalización. Este intento de totalización se traduce, a la hora un poco tonta del análisis más simple, por la creación de un gran número de personajes novelescos y de historias; en buena lógica, y hasta es posible el hacerlo, con una historia engarzada en *La Galatea* o en el *Persiles*, se puede conseguir una novela ejemplar; pero a Cervantes no le preocupa esto, sino el marco, la estructura, el procedimiento capaz de permitirle engarzar, combinar varias historias, varios personajes.

La Galatea rompe los moldes de la estructura pastoril, precisamente por esta búsqueda de marco capaz de contener un mundo; en el *Persiles*, Cervantes no ha de romper ninguna estructura novelesca porque escoge ya la que le va a permitir poblar un mundo de personajes: la estructura novelesca que llamamos bizantina.

Y con todo, y con mucho más que se podría añadir aquí en pro de estos dos títulos, Cervantes no logra en ellos la totalización que consigue en el *Quijote*. ¿Por qué? ¿Porque la estructura paródica era la verdadera estructura que buscaba?

De nada sirve aquí discutir sobre si efectivamente buscaba esta estructura o si la encontró únicamente porque intentaba *dar aliento al pecho melancólico*, lo único que puede interesarnos, en este descarnado análisis que intentamos, es comprobar si efectivamente la estructura paródica de la novela permitió esa gran totalización intentada por Cervantes durante sus treinta años de vida literaria.

¿Qué clase de estructura novelesca es ésta, que hemos llamado paródica, que consigue lo que no se consiguió en 1585 ni en 1617? Y sobre todo, pues a esto nos vamos a limitar, ¿cómo funciona esta estructura?

Porque no basta la descripción estática de una estructura, hay que lograr verla en movimiento; su descripción estática empieza y termina en su clasificación: la estructura novelesca empleada es una estructura paródica, porque responde a los requisitos ya establecidos desde los griegos para este tipo de estructura (aquí el análisis que es una pura clasificación como digo, podría alongarse a historiar las vicisitudes de una forma, a los modelos que inspiraron al autor, etc., pero recordemos que no hacemos análisis genético de la obra, sino, por llamarlo así, funcional: intentamos saber o describir cómo funciona una estructura literaria).

El análisis dinámico o el funcionamiento de esta escritura quizá nos aleje, y mucho, de esa crítica que busca el contenido, la gran significación de la obra, pero si nos aleja de esta crítica, no es seguro que nos aleje del significado mismo, puesto que, como queda escrito, en una obra como el *Quijote* todos los caminos llevan a Roma.

II

Por las liminares declaraciones de Cervantes, sabemos que nos encontramos ante una obra satírica, ante una obra que intenta acabar con los libros de caballerías. Tal es, en principio, la verdadera estructura que pudiéramos llamar «intencional» del *Quijote*.

A partir de este punto, comprendemos que nos encontramos ante una parodia de los libros de caballerías; el autor ha escogido la forma paródica para escribir su sátira.

Ahora se trata de comprender cómo ha funcionado esta parodia, esta forma paródica; de qué manera, pero siempre cómo, la forma parodia ha llegado a sus fines, se ha materializado.

Si nos guiamos por este sencillo esquema, no hay duda de que nos encontraremos ante una primera sorpresa, ante una doble sorpresa: históricamente, sabemos que los libros con los que se intenta acabar están ya virtualmente desapareciendo o han desaparecido ya, y por otra parte el *Quijote* defiende, de alguna manera, los ideales caballerescos.

Si seguimos aproximándonos al cómo de la obra, si dejamos, siempre hasta cierto punto, el porqué y el qué de la obra, tendremos que hacer un esfuerzo para superficializar nuestra visión crítica, para adelgazarla de manera que lo que se ha llamado contenido, intención, mensaje, etc., de la obra no interfiera en nuestro análisis.

Partimos de la declaración liminar: el *Quijote* es una obra satírica que escoge la parodia; tendremos, pues, así una primera estructura de la obra, una primera manera, aspecto, nivel, etc., que llamaremos estructura paródica.

Pero inmediatamente después, ateniéndonos al texto de la obra, nos encontramos con una obra cómica; una obra que emplea el lenguaje con fines muy bien determinados (escenas cómicas, expresiones cómicas, etc.). Llegaremos así, aunque sólo sea en hipótesis, a lo que llamaremos estructura cómica del *Quijote*. Estructura, hay que decirlo cuanto antes, que se materializa en el lenguaje mismo de la obra.

Por último, y quizá dentro del lenguaje o muy colindante con él, nos fijaremos en un cierto estilo, en una serie de secuencias, de organizaciones, que llamaremos estructura irónica.

La estructura paródica es el punto de partida —la estructura dentro de la cual, como tendremos ocasión de comprobar, caben las otras dos que he señalado—, la estructura verdaderamente madre y auténticamente literaria; finalmente, la estructura que inspira constantemente a las dos otras, y así, a la obra toda.

La estructura cómica nos llevará al análisis del empleo del lenguaje; el autor utiliza las palabras en un sentido determinado, generalmente cómico.

La estructura irónica ha de explicarnos los diferentes planos de la narración, las distanciaciones críticas conseguidas por el autor, que utiliza precisamente la estructura irónica.

Tres estructuras, una triple estructura... tres aspectos si se quiere, que de alguna manera rigen el funcionamiento de la obra; ésta, como toda obra literaria, no es sólo una intención, no es sólo una visión del mundo, sino la materialización, la forma material de esa primera intención, de esa visión del mundo, de esa conciencia.

Al crítico, en resumidas cuentas, se le puede escapar todo el alcance siempre intencional de la obra, pero puede, o yo lo creo, explicitar con cierta claridad el funcionamiento de la obra misma.

Es indudable, por otra parte, que esta forma, que esta materialización, responde a otra cosa, a una estructura interna, visión del mundo, problemática, etc., pero incluso para llegar a este meollo explicador, el camino de la superficie, el camino de la rica corteza de la obra, es el mejor o el más prometedor, ya que es un camino de vuelta.

La obra que surgió de una problemátca, se materializó en una forma, el análisis de esta forma nos dará desandado el camino que permitió precisamente esta materialización.

No se trata de llegar a esa lectura inocente que han propugnado ciertos críticos, ya que el texto no es explicativo por sí mismo, ninguna obra se explica por sí misma, aunque se comprenda por sí misma, sino de comprender y explicar todo el mecanismo de la lectura y de la comunicación, en una palabra, del funcionamiento.

Para llegar a este resultado no es necesaria la comprensión integral de la obra, no es necesaria la comprensión más totalizante, que sería la mejor, de la obra; por el contrario, tengo la esperanza de acercarme a esta comprensión por medio del funcionamiento de la obra.

De las tres estructuras enumeradas, parece determinante la primera, la estructura paródica, pero esta estructura, que como veremos nos dará el argumento temático de la obra, no es suficiente (no es suficiente el análisis de esta estructura) para comprender el funcionamiento; ya que el autor ha de utilizar un lenguaje que, además, quiere cómico; podremos, pues, siempre en un primer momento, y demostrada o descrita la estructura paródica, estudiar su mediación sobre estructura cómica, sobre el lenguaje cómico de la obra, veremos así, si efectivamente hay o no, una coherencia entre las dos estructuras, o entre la intención paródica y la intención cómica.

La estructura que he llamado irónica, aunque también mediada por la estructura paródica, puede o no puede tener que ver con la estructura cómica; generalmente nos hallamos a otro nivel, en otro plano narrativo. Esta estructura irónica, como veremos, se acerca mucho más a un procedimiento puramente intelectual, aunque muy ligado con la narrativa, que las otras dos estructuras.

I

LOS CUATRO MUNDOS
DE LA ESTRUCTURA PARODICA

> ¡Válame Dios, y cuántas provincias dijo, cuántas naciones nombró, dándole a cada una, con maravillosa presteza, los atributos que le pertenecían, todo absorto y empapado en lo que había leído en sus libros mentirosos!
>
> Parte I, XVIII.

Antes de entrar en la difícil descripción de un funcionamiento, hay que adelantar que en la estructura paródica que vamos a estudiar, hay campo o espacio para más, y que este *más* que aquí no tiene nombre, será estudiado en el Capítulo IV bajo la rúbrica de «La estructura paródica como marco»; de momento nos vamos a fijar en los universos reunidos en la estructura que llamo paródica; pero es claro que estos cuatro universos, espacios, horizontes, planos, etc., no son todo el *Quijote*, aunque sí son los verdaderos ejes de la obra.

De la misma manera, quedarán para otros capítulos del presente estudio las estructuras que llamo *cómica* y *paródica*.

Para empezar con la materia propia de este apartado, quizá debiéramos hablar de horizontes, de niveles, de campos, pero es la verdad que las cuatro direcciones permitidas por la estructura paródica se parecen mucho a cuatro mundos, a cuatro universos.

Y son mundos porque poseen sus propias leyes, porque viven y hacen vivir a los personajes que por ellos transitan; tienen así su propia organización, también su propio carácter.

Como veremos después, a partir del momento en que Cervantes decide novelar, es decir, enloquecer, a un sencillo hidalgo manchego, la estructura narrativa, que ya es paródica, parece desparramarse o construirse, es igual, en cuatro direcciones diferentes.

Podremos así distinguir, sin que el orden que sigue implique ninguna jerarquía y menos cronología:

1.º Un mundo voluntario, un verdadero *intramundo*, construido por el personaje mismo, no solamente por el protagonista, sino por otros personajes de la obra; este primer universo, este universo voluntario es interior y suele residir en la voluntad del personaje; es así y casi siempre, pura voluntad. Como es natural, la conciencia del personaje recibe la realidad, pero de ella escoge siempre libremente lo que quiere o desea. El hidalgo enloquecido querrá ser caballero andante, Dorotea querrá ser señora principal, Sancho querrá muchas cosas, entre ellas ser gobernador de ínsulas, etc.

El que un personaje quiera voluntariamente ser algo, representar algo, conquistar algo, no es, como es natural, una originalidad de la obra, a no ser que lo que se quiera resulte imposible, ridículo, paródico (caso de Don Quijote y Sancho); pero, como veremos, incluso en el resto de los personajes, este querer un destino, este mundo que he llamado voluntario, se enriquece al ponerse en comunicación, casi siempre problemática, con el resto de los universos o mundos.

2.º Un *mundo transformado* por Don Quijote, ésta es la primera consecuencia paródica de la obra: la aparición de una apariencia que aunque apariencia, contamina o media, y hasta determina, la conducta del protagonista. Esta apariencia se constituye así como mundo, como universo.

3.º Un mundo transformado por los otros; *un mundo fingido;* los otros son aquí los que no son Don Quijote; también nos encontramos ante otra consecuencia automática de la estructura paródica; no sólo el protagonista transforma el mundo, y crea así un mundo, sino que los otros, o al menos, otros, transforman también la realidad, crean una nueva apariencia, y esta apariencia posee también fuerza y determinación.

4.º Un mundo «real», el *extramundo,* lo que en principio ha de corresponder con la realidad objetiva. Naturalmente, este mundo, al que nadie puede discutir sus leyes y mediaciones, sirve también para contrastar los tres universos enumerados.

Tal es, en resumen, la cuádruple senda que construye Cervantes para el andar de sus personajes. A notar que el primer universo, el *intramundo,* y el cuarto universo, el *extramundo,* son lo que entendemos en la novela como elementos, como componentes de la misma; un protagonista y un universo, un intramundo y un extramundo que obligatoriamente establecen entre sí relaciones problemáticas. Pero la estructura paródica, al permitir un intramundo paródico, engendra también los universos segundo y tercero.

Con intramundo y extramundo ha construido Cervantes el resto de su obra novelesca, solamente con cuatro horizontes o cuatro caminos ha escrito el *Quijote.*

Vamos a intentar ahora desentrañar con un poco más de detalle la cuádruple andadura de la obra, teniendo en cuenta, antes de empezar, el punto de partida de toda la obra; lo que llamaré punto de partida o punto de ruptura, pues de ambos tiene.

PUNTO DE PARTIDA O PUNTO DE RUPTURA

El protagonista de la obra que todavía no es protagonista, va a volverse loco; pero un protagonista que enloquece puede continuar siendo él mismo; tal es el caso del *Orlando* de Ludovico Ariosto, que se vuelve *furioso*, pero continúa siendo paladín; si Cervantes se hubiera apoyado, para construir su parodia, en el modelo de Ariosto, como algún crítico ha sostenido, el resultado hubiera sido un Alonso Quijano furioso y no un Don Quijote; porque lo que Cervantes entiende por locura no es el arrebato o la sublimación de una parcela de la personalidad, sino el cambio o la transmutación de toda la personalidad. Y así, se me ocurre pensar, si Ariosto hubiera aplicado este procedimiento cervantino a su Orlando, éste se hubiera transformado en mercader, en villano, incluso en pagano, y hubiera dejado de ser Orlando. Entre Cervantes y Ariosto hay un parecido de forma, casi de procedimiento, pero el contenido es diferente; por eso a la hora de señalar modelos a Don Quijote, me olvidaré muy conscientemente de este *Orlando furioso* que tan bien conocía Cervantes, y que tan bien supo ignorarlo.

Cervantes toma la locura como una ruptura radical; el hidalgo, uno *de los de lanza en astillero*, como veremos luego, abandona su personalidad para embutirse en otra.

La condición de *loco entreverado* de Don Quijote, que aparece en el texto, no significa, pues, que el héroe sea unas veces Don Quijote y otras Alonso Quijano, sino que siendo siempre Don Quijote, unas veces razona como muchos y otras como él solo. Cuando razona como muchos, razona también como caballero andante; cuando razona como él solo, está simplemente en la cúspide de su personalidad, una cúspide que suele estar a punto de estallar, a punto de acción.

De la misma manera, y si la locura es una ruptura radical como sostengo, el *ingenioso* del título de la Primera Parte o *Quijote* de 1605 no puede aplicarse a Alonso Quijano, ya que éste no tiene nada que hacer en esta historia, o mejor en esta novela, ya que al aparecer al final de la novela transforma la novela en otra cosa, ¿en una historia?

Se ha escrito mucho sobre los títulos de las dos partes, el *ingenioso hidalgo* en 1605 y el *ingenioso caballero* de 1615; al parecer, o Cervantes quiso separarse aún más del falso *Quijote* de Avellaneda, o quiso certificar que, efectivamente, Don Quijote ya era caballero... Quizá la primera hipótesis sea cierta; en cuanto a la segunda, Don Quijote es armado caballero, es decir, es caballero, desde el capítulo III de la Primera Parte; aunque, como apunta Martín de Riquer, esta caballería ha sido falsamente concedida, es decir, es caballero «por escarnio» y el título recordaría así al lector la circunstancia...

Para mí, Don Quijote, que es loco entreverado, es también ingenioso y caballero sin dejar de ser Don Quijote.

Pero volvamos al momento de la locura, al momento de la ruptura radical.

La condición de Don Quijote, que todavía no es Don Quijote, sino Alonso Quijano, la conocemos puesto que se nos la describe en las primeras líneas de la obra:

... vivía un hidalgo de los de lanza en astillero, adarga antigua, rocín flaco y galgo corredor...

Observemos un hidalgo *de los,* es decir, uno de tantos; Alonso Quijano era una personalidad corriente, tanto que su descripción podía servir para otros muchos. Sabemos cómo vive, lo que come, lo que viste, lo que gasta:

Una olla de algo más vaca que carnero, salpicón las más noches, duelos y quebrantos los sábados, lentejas los viernes, algún palomino de añadidura los domingos, consumían las tres partes de su hacienda. El resto della concluían sayo de velarte, calzas de velludo para las fiestas, con sus pantuflos de lo mesmo, y los días de entresemana se honraba con su vellorí de lo más fino.

Tal era Don Quijote antes de ser Don Quijote. Con un héroe como el descrito no es posible la novela; un hidalgo de los de lanza en astillero no era apto para protagonizar ninguna aventura, parece condenado a un destino prefijado, bien delimitado, sin salidas ni incitaciones de ningún género. Un hidalgo así se llamaría Don Diego de Miranda y viviría apaciblemente su mediocridad.

Por eso, cuando Américo Castro opone al Caballero del Verde Gabán, Don Diego de Miranda, a Don Quijote, tiene y no tiene razón; quizá no se trate de un antagonismo, sino de otra cosa: Don Quijote lo único que podía ver en Don Diego era el hidalgo que él hubiera sido si no se hubiera vuelto loco, si no hubiera sentido la radical ruptura de un nuevo destino. Don Diego de Miranda es un hidalgo de los de lanza en astillero, y morirá como Don Diego de Miranda, sin conocer la aventura, y lo que es peor, sin intentarla. Y claro es, que con Don Diego de Miranda no hubiera sido posible ninguna novela.

El hidalgo que ya conocemos, que es tan común como los demás, sólo tiene una particularidad que le distingue: lee libros de caballerías, y segunda particularidad, los lee de tal manera que se embebe en ellos, que se ingiere en ellos:

... él se enfrascó tanto en su lectura, que se le pasaban las noches leyendo de claro en claro, y los días de turbio en turbio; y así, del poco dormir y del mucho leer se le secó el celebro, de manera que vino a perder el juicio.

No conocemos la historia clínica de esta locura, aunque hay críticos que la intentan reconstruir con la mayor voluntad del mundo; y aunque no la conozcamos nunca, es lo mismo, puesto que de lo que se trata no es de si Cervantes había leído o no el *Examen de Ingenios* del doctor Huarte de San Juan o si había observado algún caso en la literatura o en la realidad de esta locura, lo que estamos examinando aquí es el empleo de la locura como ruptura radical (si Cervantes en vez de volver loco a su héroe de tanto leer, lo hubiera hecho caer de una escalera, recibir un golpe en el cráneo y despertar loco u otro, el resultado sería el mismo: conocido el antecedente de la lectura de libros de caballerías, la ruptura podía venir de una manera o de otra).

El hidalgo, pues, no se vuelve loco en sí, sino que se vuelve loco para; no estamos ante un caso clínico, sino ante una ruptura, y de lo que va a ocurrir a partir de aquí dependerá toda la estructura paródica de la obra, puesto que la nueva personalidad, el nuevo mundo voluntario o intramundano, servirá de detonante para todos los otros.

1) MUNDO VOLUNTARIO O INTRAMUNDO

Tal es el primer horizonte o nivel o camino de la estructura paródica de la obra; desde que el hidalgo se ha vuelto loco, su destino es otro, ha roto para siempre con una personalidad unidimensional al que le condenaban sus circunstancias, su tiempo y su espacio; por medio de la locura, se ha escapado de la realidad cotidiana de ese extramundo o cuarto mundo de la estructura, y su nueva personalidad, su nueva realidad, va a ser novelable.

En la nueva singladura del protagonista, o en su verdadera singladura, ya que antes no podía ser protagonista de ninguna aventura, podríamos distinguir dos aspectos o dos trayectorias complementarias: la búsqueda de una personalidad propia y la imitación inevitable, y paródica, claro está, de ciertos modelos.

La búsqueda de una personalidad propia

El protagonista ha de autobautizarse, ha de encontrar un nombre que es lo mismo que encontrar un nuevo destino, una nueva vida, porque desde el momento en que existió la ruptura, el nuevo hombre no tiene nombre; se ha despojado de su antigua personalidad, ya no es un hidalgo de los de lanza en astillero, ahora, en este preciso momento que precede al autobautizo, no es nada ni nadie.

Pero este nadie tiene una voluntad, un carácter, sin duda nuevo, que le va a acompañar toda la vida novelesca, y por su voluntad se llamará Don Quijote:

Puesto nombre, y tan a su gusto a su caballo, quiso ponérsele a sí mismo, y en este pensamiento duró otros ocho días, y al cabo se vino a llamar Don Quijote [...] Pero, acordándose que el valeroso Amadís no sólo se había contentado con llamarse Amadís a secas, sino que añadió el nombre de su reino y patria, por hacerla famosa, y se llamó Amadís de Gaula, así quiso, como buen caballero, añadir al suyo el nombre de la suya y llamarse Don Quijote de la Mancha.

Don Quijote ya es Don Quijote por un acto de su voluntad, y por su misma voluntad nacerá su dama:

Llamábase Aldonza Lorenzo, y a ésta le pareció ser bien darle título de señora de sus pensamientos, y, buscándole nombre que no desdijese mucho del suyo y que tirase y se encaminase al de princesa y gran señora, vino a llamarla Dulcinea del Toboso, porque era natural del Toboso...

Esta voluntad, esta voluntaria búsqueda de su propia personalidad, inspira o apoya la primera salida del héroe, esto es, los seis primeros capítulos del *Quijote* de 1605; ya que la aventura que en resumidas cuentas se narra aquí, es el peregrinaje de Don Quijote para armarse caballero, y su primera caída como tal caballero.

La realidad del nuevo mundo, del intramundo voluntario, mantiene su fuerza, sus mediaciones, y dicta la aventura; Don Quijote, que comienza a regirse por las leyes de su propio mundo, ha de armarse caballero, y el que esta ceremonia sea burlesca, grotesca o como se quiera llamar, no quita un ápice de fuerza a las mediaciones del intramundo que porta en sí Don Quijote (funcionalmente, la paródica ceremonia de armarse caballero introduce en la estructura narrativa el segundo mundo y el tercero, el héroe transforma lo que ve, los otros transforman la realidad para acomodarse a la transformación de Don Quijote).

Los seis capítulos de este Primera Parte son una búsqueda y una confirmación de la nueva personalidad. Armado caballero y después de su desgraciado encuentro con los mercaderes, Don Quijote no sólo sufre una caída, sino una recaída en su búsqueda de personalidad; recaída de la que saldrá fortalecido; recogido por un labrador vecino suyo llamado Pedro Alonso, desvaría, unas veces se cree Valdovinos y otras Abindarráez, pero de pronto, ante las reconvenciones del piadoso Pedro Alonso, estalla:

—Yo sé quién soy [...] y sé que puedo ser, no sólo los que he dicho, sino todos los Doce Pares de Francia, y aun todos los nueve de la Fama, pues a todas las hazañas que ellos todos juntos y cada uno por sí hicieron, se aventajaran las mías.

No hay más clara definición de fe, no hay mejor manera de demostrar que el hidalgo es ya real y verdaderamente Don Quijote de la Mancha; y por si el lector lo hubiera olvidado, el autor se lo recuerda en el capítulo XX de este *Quijote* de 1605:

—Sancho amigo, has de saber que yo nací, por querer del cielo, en esta nuestra edad de hierro, para resucitar en ella la de oro, o la dorada, como suele llamarse. Yo soy aquel para quien están guardados los peligros, las grandes hazañas, los valerosos hechos. Yo soy, digo otra vez, quien ha de resucitar los de la Tabla Redonda, los Doce de Francia y los Nueve de la Fama, y el que ha de poner en olvido los Platires, los Tablantes, Olivantes y Tirantes, los Febos y Belianises con toda la caterva de los famosos caballeros andantes del pasado tiempo, haciendo en este en que me hallo tales grandezas, estrañezas y fechos de armas, que escurezcan las más claras que ellos ficieron.

Porque, como se ve, el protagonista no sólo ha buscado una nueva personalidad, sino que la ha encontrado, y la que ha encontrado nos lleva a tratar el segundo aspecto o la segunda trayectoria de esta ruptura radical de la locura.

La imitación inevitable y los modelos

Si el hidalgo sólo se hubiera vuelto loco sin cambiar de personalidad, no hubiera habido novela; si hubiera cambiado de personalidad endosándose otra cualquiera que no fuera conocida y ya adoptada, nos encontraríamos ante un licenciado Vidriera más, ante otra novela muy distinta; pero la estructura paródica necesitaba que la nueva personalidad fuera la parodia de otra personalidad, de otras personalidades conocidas, repertoriadas, y sobre todo en la memoria de los lectores de la época.

La nueva personalidad ha de ajustarse así al mundo nuevo, y el mundo nuevo, el intramundo de Don Quijote, es el universo de la andante caballería escrita, de la repertoriada y conocida; Don Quijote tiene que ser la parodia de un caballero andante, y su mundo, la parodia del mundo caballeresco escrito, siempre escrito.

Por eso la imitación es inevitable, porque no hay parodia sin imitación; porque la parodia para existir, ha de apoyarse de alguna manera en el objeto parodiado, porque necesita un mundo entero de referencias conocidas, sin las cuales no puede subsistir ni materializarse.

Don Quijote será caballero andante, y en este punto, el autor determinado por las leyes digamos poéticas de la parodia, no podía crear un anticaballero, que no hubiera sido paródico, sino que había de crear un caballero que al ser ridículo, ridiculizara a los demás, a los ya creados y escritos. Pero resulta que Cervantes no se contenta con crear un caballero ridículo, sino una verdadera personalidad caballeresca, un portador de los valores de la caballería; el intramundo de Don Quijote es así un mundo entero, el de la caballería, rico en valores, sublime.

(Digamos entre paréntesis, que un caballero simplemente ridículo hubiera servido también a la estructura paródica, pero no hubiera pasado de ser un grotesco y pobre Tartarín de Tarascón.)

La estructura paródica produce, pues, en su funcionamiento un caballero paródico, pero de intramundo tan ancho y rico que sólo oponiéndolo al resto de los universos enumerados puede mantenerse como parodia y como estructura.

La imitación, como vemos, era inevitable, pero una imitación tan verdadera es ya salirse de las reglas de la parodia para profundizar en ellas y para innovar.

En cuanto a los modelos escritos, a los caballeros andantes conocidos y repertoriados, dejemos rápidamente de lado el Orlando de Ariosto y comencemos por una simple pregunta: ¿Tiene algún significado el que en el texto del *Quijote* el nombre de Amadís sea citado 32 veces, seguidos por el de Don Belianís, 10 veces (Orlando, seis); Tirante, cuatro; Palmerín de Ingalaterra, tres, etc.?

Sin dar demasiada importancia a este tipo de estadísticas, que se dejan fuera las alusiones en las que no se nombra al aludido, vamos a limitarnos a recordar cuatro nombres de los citados: Amadís, Don Belianís, Tirante y Palmerín de Ingalaterra, y vamos a recordarlos porque no puede ser una casualidad el que estos cuatro nombres o estas cuatro obras sean las únicas que se salven del fuego a la hora del escrutinio del capítulo VI de la Primera Parte o del *Quijote* de 1605.

En el gran escrutinio de la librería del hidalgo se salvan del fuego los cuatro libros citados y otros, el titulado *Espejo de Caballerías*, es puesto en un pozo seco, y así, también condenado.

Podemos razonablemente pensar que Cervantes no podía condenar, ni menos quemar inquisitorialmente, los libros que le han servido para modelar a su héroe; no es que Cervantes tome de estas cuatro obras, *Amadís de Gaula*, *Don Belianís*, *Tirante el Blanco* y *Palmerín de Ingalaterra*, una serie de elementos que luego le van a servir para construir su Don Quijote, como si éste estuviera formado o construido con piezas, no, se trata solamente de una simpatía inevitable. Cervantes deja escapar, quizá inconscientemente, sus preferencias a la hora del juicio o del escrutinio.

Don Quijote tiene ya una personalidad propia, pero en el ánimo del autor el intramundo de su héroe ha de parecerse a los mundos de las cuatro obras señaladas y ¿por qué no ha de parecerse, si esas cuatro obras son las únicas dignas de conservarse, de perpetuarse?

Naturalmente la crítica, a lo largo de los años, ha ido señalando antecedentes caballerescos escritos al caballero Don Quijote; un Diego Clemencín, por ejemplo y por modelo, recuerda constantemente en sus notas, circunstancias, elementos, nombres, etc., que vienen del mundo de los libros andantescos; sin embargo, creo que ningún crítico ha estudiado a estos cuatro modelos como cuádruple modelo único.

Estudios sobre las correspondencias entre el *Amadís* y el *Don Quijote* abundan, y lo mismo podríamos decir entre *Don Quijote* y *Tirante el Blanco;* faltan sobre el *Palmerín de Ingalaterra*, y faltan sobre todo, y esta ausencia es más grave, sobre *Don Belianís*.

La referencia al *Amadís* por parte del *Quijote* era obligada; hablar de libros de caballerías sin hablar del *Amadís* carece de sentido; Amadís es el prototipo, el mejor, el único, etc. Amadís es algo así como el fundador, y con toda naturalidad Don Quijote no sólo se referirá al de Gaula, sino que se inspirará en él para acometer alguna de sus aventuras o su penitencia en Sierra Morena.

Notemos inmediatamente que en la obra nunca se ridiculiza o se emite un juicio desfavorable al o sobre el *Amadís*, éste sirve de modelo indiscutible; es así también, intramundo de Don Quijote.

Tirante el Blanco, y como dice el texto, «por su estilo, es éste el mejor libro del mundo», había de colmar los deseos de Cervantes, ya que en esta obra se conjugan, como en el *Don Quijote*, el universo caballeresco con el real y cotidiano; Tirante y Don Quijote son dos personas más que dos personajes: sufren, aman y mueren cristianamente, porque en el *Tirante:*

... aquí comen los caballeros, y duermen y mueren en sus camas, y hacen testamento antes de su muerte, con otras cosas de que todos los demás libros deste género carecen.

Amadís, el perfecto amador y el perfecto guerrero, había de ser inevitable modelo; Tirante resulta inevitable por las tendencias personalísimas del escritor Cervantes.

En cuanto al *Don Belianís*..., aquí falta aún un estudio cumplido sobre las relaciones entre Don Quijote y Don Belianís; Diego Clemencín señala más de un detalle, más de una circunstancia, alguna otra he encontrado yo por mi cuenta, pero por encima de todo esto hay lo que yo llamaría una afinidad de caracteres: Don Quijote se parece a Don Belianís, o de otra manera, menos ortodoxa, al autor Cervantes le cae simpático Don Belianís:

... éste que aquí tengo es el afamado Don Belianís.
—Pues ése —replicó el Cura—, con la segunda, tercera y cuarta parte, tienen necesidad de un poco de ruibarbo para purgar la demasiada cólera suya, y es menester quitarles todo aquello del castillo de la Fama y otras impertinencias de más importancia,

para lo cual se les da término ultramarino, y como se enmendaren, así se usará con ellos de misericordia o de justicia; y en tanto, tenedlo vos, compadre, en vuestra casa; mas no los dejéis leer a ninguno.

—Que me place —respondió el Barbero.

No hay aquí, me parece, ninguna condena ni tampoco perdón burlesco como el concedido a los *Diez Libros de Fortuna de Amor*, del sardo Antonio de Lofraso, del que se burlará Cervantes en más de una ocasión. Don Belianís, al parecer, sólo necesita corregirse, y sobre todo sosegarse, pues es demasiado belicoso y colérico, pero ¿no le ocurre lo propio a Don Quijote? ¿No está nuestro héroe siempre a punto de combatir, siempre a punto de dispararse, encolerizarse, estallar?

Hay, creo, entre el *Don Belianís* y el *Don Quijote* más afinidad de caracteres que semejanza de escenas o de aventuras; hay un carácter, el arrebatado o colérico, que les engloba a los dos.

Las relaciones entre el *Don Quijote* y el *Palmerín de Ingalaterra* han de existir también a partir del escrutinio. Dice el Cura:

—Este libro, señor compadre, tiene autoridad por dos cosas: la una, porque él por sí es muy bueno; y la otra, porque es fama que le compuso un discreto rey de Portugal.

El que el autor no sea, en efecto, ningún discreto rey de Portugal, no mengua para nada la admiración de Cervantes.

El intramundo de Don Quijote es ya todo el universo caballeresco, y su personalidad en principio se parecerá, por lo menos, a estos cuatro caballeros andantes que acabo de señalar.

Pero conviene adelantar rápidamente, aunque luego a la hora de los esquemas y de los personajes volvamos sobre ello, que este intramundo no es privativo de Don Quijote, que estamos más ante una dimensión que ante una dimensión del héroe. No hay que olvidar, por ejemplo, que a partir de un momento dado Sancho también tendrá su intramundo, también será intramundo, puesto que se moverá dentro de esta dimensión.

En resumen, el intramundo o mundo voluntario es el primer universo que permite o engendra la estructura paródica de la obra entera.

2) MUNDO TRANSFORMADO

El nuevo horizonte, el nuevo universo de la estructura paródica de la obra, es el mundo transformado por el intramundo voluntario que queda descrito.

Si partimos de la figura de héroe, que en principio es la que señala siempre el camino, veremos que Don Quijote no se contentará con hacerse a sí mismo en un acto de soberana voluntad, sino que en posesión de su nueva personalidad, va a lanzarse por el mundo, en principio real, y a transformarlo en otra cosa.

La realidad, siempre objetiva en principio, se deforma o transforma ante los nuevos ojos que la ven; esta deformación o transformación es así una con-formación o re-formación, puesto que el protagonista, que es voluntad y es acción, intenta que su personalidad, que su intramundo, coincida con la realidad que le rodea.

El intramundo voluntario transforma así lo que le rodea y crea o segrega de él, el universo que hemos llamado *mundo transformado*, y que deberíamos llamar conformado o reformado.

En una obra no paródica es muy difícil, o casi imposible, establecer relaciones y materializarlas por escrito, entre un intramundo y un universo transformado; generalmente en las novelas no paródicas el intramundo del protagonismo choca lisa y llanamente contra la realidad más o menos objetiva, a partir de este choque o problema inevitable pueden ocurrir dos cosas: o que el intramundo del personaje triunfe del mundo, y nos encontramos ante todo un novelar triunfalista (cuyo modelo más acabado para mí es el *Robinson Crusoe*), o que el mundo destroce el intramundo del personaje protagonista, en cuyo caso nos encontramos ante el novelar que se ha denominado de la *frustración* y del que sobran modelos (por ejemplo, *L'Education Sentimentale*, de Flaubert, o *La Regenta*, de *Clarín*).

Pero en el *Quijote* no ocurre así, no hay solamente un contacto entre el intramundo y el mundo o extramundo, no hay solamente una relación problemática entre el protagonista y el universo, hay, para empezar, otro mundo que deriva del personaje mismo y que también se relaciona problemáticamente con él.

Para Don Quijote, las ventas serán castillos, las mozas del partido doncellas, los molinos gigantes, los rebaños de ovejas ejércitos, etc. y etc., porque de Don Quijote y de su intramundo voluntario parece depender en principio todo lo demás.

La estructura paródica, como vemos, permite colocar entre el intramundo y el extramundo otro mundo, que llamamos *mundo transformado*; sin duda este mundo transformado opera muchas veces o funciona como una verdadera pantalla (casi siempre protectora) entre el héroe con su intramundo a cuestas y el extramundo devorador de ensueños; pantalla, sin embargo, que en ocasiones se constituye como universo organizado, con sus reglas internas, con sus especiales características, etc.

Observemos dos ejemplos, en uno el mundo transformado funciona como esa pantalla a la que me refiero; en el otro, el mundo transformado, aunque permite la entrada de la devastación, continúa siendo mundo transformado.

En el capítulo XIX del *Quijote* de 1605, se nos cuenta la aventura nocturna de Don Quijote con el cuerpo muerto (aventura que parece venir del *Palmerín de Ingalaterra*, o que en esta novela, salvada del fuego del corral, encuentra su antecedente). Don Quijote, en plena noche, transforma la conducción de un cadáver en una pavorosa aventura, arremete contra los encapuchados y hasta quiebra una pierna al desdichado bachiller Alonso López que, caído en el suelo, responde a las preguntas de Don Quijote; el bachiller aclara el misterio, es decir, el extramundo entra en acción y rompe la pantalla del universo transformado. Don Quijote lo reconoce:

—El daño estuvo, señor Bachiller Alonso López, en venir, como veniades, de noche, vestidos con aquellas sobrepellices, con las hachas encendidas, rezando, cubiertos de luto, que propiamente semejábades cosa mala y del otro mundo; y así, yo no puedo dejar de cumplir con mi obligación acometiéndoos, y os acometiera aunque verdaderamente supiera que érades los mismos satanases del infierno, que por tales os juzgué y tuve siempre.

La frase clave es: *y así, yo no puedo dejar de cumplir con mi obligación;* es decir, mientras fuisteis mundo transformado, mi intramundo funcionó como intramundo. Descubierta la inanidad de este mundo transformado, de esta pantalla, el intramundo deja de funcionar.

El otro ejemplo lo podemos encontrar en la famosa aventura de los rebaños de ovejas del capítulo XVIII del *Quijote* de 1605, un momento antes de la aventura con los encamisados y el bachiller Alonso López. Don Quijote ha descrito los dos ejércitos a Sancho, y en pleno mundo transformado ha entrado en acción; apedreado por los pastores, está ya en el suelo y Sancho le reconviene:

—¿No lo decía yo, señor Don Quijote, que se volviese, que los que iba a cometer no eran ejércitos, sino manadas de carneros?
—Como eso puede desaparecer y contrahacer aquel ladrón del sabio mi enemigo. Sábete, Sancho, que es muy fácil cosa a los tales hacernos parecer lo que quieren, y este maligno que me persigue, envidioso de la gloria que vio que yo había de alcanzar desta batalla, ha vuelto los escuadrones de enemigos en manadas de ovejas. Si no, haz una cosa, Sancho, por mi vida, porque te desengañes y veas ser verdad lo que te digo: sube en tu asno y síguelos bonitamente, y verás cómo, en alejándose de aquí algún poco, se vuelven en su ser primero, y, dejando de ser carneros, son hombres hechos y derechos, como yo te los pinté primero...

Aquí el mundo transformado ni siquiera ha logrado funcionar como pantalla, se ha instaurado bonitamente ante el intramundo del héroe y pasada la aventura, pasado el contacto, el mundo transformado continúa siendo el mismo.

Podríamos aducir otros ejemplos, como las aventuras de la cueva de Montesinos y la del caballo Clavileño del *Quijote* de 1615, ejemplos o momentos todos en los que el nuevo universo segregado por el intramundo se mantiene como centro de relaciones, funciona como universo.

También hay que añadir aquí que no es solamente Don Quijote el único capaz de transformar el mundo a partir de su intramundo, aunque en la obra es el personaje que más veces lo hace, también otros que no son protagonistas, como Sancho, y quizá Marcela y Grisóstomo, están inmersos en dos universos, el intramundo y el mundo transformado o reformado.

Desde el punto de vista narrativo, estas relaciones, siempre problemáticas, entre el primer universo y el segundo, abundan más en el *Quijote* de 1605 que en el de 1615; ya intentaremos más adelante una explicación de esta, en apariencia, anomalía.

Lo que no hay duda, a la hora de la comunicación, es que el contacto-choque o la relación entre estos dos universos ha tenido una fuerza de universalización pocas veces conseguida por otros elementos o mundos de esta estructura paródica. Para el mundo entero, Don Quijote es el héroe de los molinos de viento, y la explicación reside en que por primera vez (?), en la literatura novelesca, aparecía el universo transformado en relación con el héroe. Quizá sea este mundo transformado la creación más original de Cervantes.

La locura de Orlando, por ejemplo, deja incólume el mundo que le rodea; el paladín furioso desgajará las encinas, acometerá ejércitos, pero las encinas continuarán siendo encinas y los ejércitos, ejércitos; su locura como apunté, no ha sido una ruptura radical, no ha creado un intramundo capaz de engendrar un mundo transformado.

Las referencias constantes de Don Quijote a los malignos encantadores que le persiguen no son únicamente, pues, un recurso literario más o menos legítimo, sino la explicación que al nivel de su intramundo se da Don Quijote para comprender las súbitas transformaciones de las cosas; éstas, naturalmente, cuando vuelven a su ser objetivo, y siempre a los ojos de Don Quijote, están fingidas o manipuladas, como diríamos hoy, por los malignos encantadores.

Aquí hay que decir que los encantamientos y procedimientos mágicos empleados en los libros de caballerías son recogidos en la estructura paródica y llevados más allá de sus límites, ya que la magia, para empezar, no existe en la obra, pero sí sus consecuencias o efectos. Cervantes parece haberse dado cuenta de que el mundo caballeresco necesitaba esta dimensión mágica, pero la ha recogido a su manera, introduciéndola en el intramundo de Don Quijote, donde todo el universo caballeresco tiene su asiento, y haciéndola funcionar en relación con este segundo mundo, o universo transformado.

Para Don Quijote, el mundo mágico es una realidad, pero es el caso que esta realidad del intramundo de Don Quijote se materializa realmente en el mundo transformado, ya que éste funciona realmente.

Volviendo a la estructura paródica que inspira o hace funcionar toda la obra, hay que observar que a la creación de un intramundo, a partir de la ruptura radical del protagonista, sigue la creación de un mundo transformado por este intramundo: Don Quijote no es solamente un héroe que porta en sí todo un universo caballeresco, todo un intramundo, es algo más, puesto que el intramundo que porta es capaz de engendrar un nuevo universo.

No hay, pues, una simple batalla entre el hombre con valores o calidades y un mundo sin valores, desvalorizado, etc., porque una batalla así la podemos encontrar en todas las novelas del mundo (seguimos tomando la novela como la historia de las relaciones problemáticas entre un individuo y un universo), en el *Quijote*, novela de novelas, nada es simple y todo dualismo ha sido siempre la simplicidad misma. No se trata del idealismo contra el materialismo, del hombre contra el mundo, etc., se trata de cuatro dimensiones, de cuatro universos que se relacionan entre sí, y que al hacerlo y funcionar, dan al traste con toda explicación simplista, o dualista; porque, en resumidas cuentas, en literatura, no hay exactamente valores morales capaces de caracterizar un universo dado, hay universos que funcionan o no funcionan, que logran relacionarse o no lo logran; el que estos universos y estas relaciones sean buenos o malos moralmente hablando, no puede entrar en línea de cuenta.

Aún más, si toda gran obra es moralmente ambigua, esto quiere decir que es lo suficientemente rica y organizada como para escaparse de esos juicios morales dualistas a los que me refería antes.

En los universos de la estructura paródica que estamos estudiando, sus sujetos agentes (actantes, protagonistas, coprotagonistas, personajes, etc.) cumplen una función, la de relacionarse, la de vivir literariamente y hacer así avanzar la acción o el hilo narrativo; esta función, que no podemos juzgar moralmente, proviene o es engendrada por el universo mismo en el que viven, se mueven, funcionan.

3) MUNDO FINGIDO

El mundo transformado por los otros, y que es creación de la estructura paródica, es más precisamente un *mundo fingido*, un mundo de apariencias organizadas y colocadas para incidir sobre la conducta del héroe novelesco.

Este nuevo universo, el fingido, aparece también desde los primeros momentos o capítulos de la obra; en el capítulo III, el ventero que va a armar caballero a Don Quijote, decide comenzar la creación del mundo fingido:

El ventero, que, como está dicho, era un poco socarrón y tenía algunos barruntos de la falta de juicio de su huésped, acabó de creerlo cuando acabó de oírle semejantes razones, y, por tener que reír aquella noche, determinó de seguirle el humor...

Dos frases claves: *por tener que reír aquella noche*, y la otra: *seguirle el humor*. Como veremos, en este mundo fingido que empieza, a veces los otros, el mundo objetivo o el extramundo como lo llamaremos, finge apariencias o para seguir el humor de Don Quijote o para burlarse de él. Más adelante, a este seguir el humor y a esta risa seguirá otra intención: la de curarle.

Finalmente, y en cuanto a las intenciones de este mundo fingido, podemos resumirlas así: el mundo se organiza para reírse del héroe, o el mundo se organiza para destruir al héroe por medio de la apariencia. En el primer caso, y sobre todos los demás personajes del mundo fingido, se encuentran los Duques del *Quijote* de 1615, verdaderos directores de una tramoya que va a inmovilizar a Don Quijote durante largos capítulos, y que incluso va a introducir también en el mundo fingido a Sancho (aventuras en la ínsula de Barataria).

Los organizadores de un mundo fingido para curar a Don Quijote de su locura (?) son el Cura, el Barbero y el Bachiller.

A notar inmediatamente la complejidad insospechada de un personaje como Sancho, verdadero coprotagonista; complejidad que le hace recorrer los universos de la estructura paródica, casi de uno en uno (Sancho parece empezar como simple representante del extramundo, y así se opone como realista al idealista Don Quijote; después, o muy pronto, colabora con los organizadores del mundo fingido si es que no lo finge él mismo, cuando inventa un viaje al Toboso o cuando «encanta» a la sin par Dulcinea; por último, poseerá un intramundo y será juguete del mundo fingido en la ínsula, que por sus pecados pensaba gobernar).

Sancho, naturalmente, no es el elemento principal o el actante esencial de la obra, puesto que Don Quijote puede ser Don Quijote sin Sancho (y de hecho lo es durante los seis primeros capítulos de la obra), pero Sancho es el actante más receptivo o evolutivo de la obra, puesto que como acabo de apuntar, sólo él es capaz de recorrer los cuatro universos de la estructura paródica.

Veamos ahora de dónde proviene o quién elabora este universo fingido; el intramundo no puede ser, puesto que, como vimos, el intramundo segrega su propio mundo que hemos llamado mundo transformado; por sí solo el mundo fingido no puede existir, puesto que todo fingimiento lo es por referencia a otra cosa; el mundo fingido, finalmente, proviene en línea recta del extramundo, de ese mundo que llamamos objetivo y que está presente en la obra como real, como objetivo.

Del extramundo, de lo más real en esta novela que no es una novela realista, surgen los otros, los engañadores, los que por unas o por otras razones van a determinar en parte la aventura del protagonista y del coprotagonista.

El mundo fingido, claro está, no es un mundo original de esta obra, literariamente proviene de la burla, y la burla en todas sus formas literarias o inspirando todas las materializaciones literarias, es la gran moda de la época, ¿la gran catarsis?, ¿la gran evasión?

Los Duques del *Quijote* de 1615 son así vulgares y por tanto tradicionales burladores, están al mismo nivel que el ventero que armó caballero a Don Quijote, y quizá más abajo aún, puesto que el humilde ventero quiso seguirle el humor a Don Quijote, mientras que los Duques se sirven de él para montar un espectáculo.

Se puede pensar también, sin duda más caritativamente, que el extramundo ha de defenderse de la excepción, del mundo intramundano que no entiende ni puede asimilar, a base de burlas, a base de crear o segregar un universo fingido, único capaz de enfrentarse con el intramundo y el mundo transformado, y no sólo de enfrentarse, sino de vencerlo (el mundo fingido del Caballero de la Blanca Luna derrotará para siempre al intramundo y al mundo transformado de Don Quijote).

En esta encrucijada de mundos que es la estructura paródica, el extramundo sólo puede entrar en comunicación, en relación, con el intramundo por medio del mundo fingido; no puede, aunque parezca paradójico, funcionar a través del mundo transformado, ya que éste queda incólume a pesar de la invasión del extramundo (Don Quijote vive su intramundo de encantadores malignos y se salva), sin embargo, o por el contrario, logra alcanzar y hasta destruir al héroe por medio de lo que segrega: del mundo fingido.

La función del mundo fingido consiste en engañar (el mundo transformado, por el contrario, no engaña nunca al héroe). Lo más notable, repito, consiste en la inoperancia del extramundo por sí mismo: el extramundo, la desnuda objetividad, se opone al intramundo, pero éste se defiende tras o con el mundo transformado; es más, para Don Quijote el mundo real o extramundo puede ser también motivo de conquista (aventura de Juan Haldudo y Andresillo, de los galotes, etc.) sin duda a la larga, el extramundo puede llegar a destruir al héroe, pero no a convencerlo, no a derrotarlo (para que Don Quijote quede derrotado ha de admitir la derrota, de lo contrario queda protegido por su mundo transformado, o si se quiere, por sus encantadores que le persiguen o protegen).

Podríamos adelantar que los cuatro universos de la estructura paródica se organizan dos a dos; de un lado, el intramundo determina el nacimiento del mundo transformado; del otro, el extramundo determina el nacimiento del mundo fingido; pero claro está que el autor no se va a contentar con oponer dos pares de mundos; no hay nada sistemático en la obra, hay un fluir y un engendrar mundos con sus personajes; lo que ocurre es que Cervantes es fiel a sí mismo, o es fiel a la cuádruple estructura paródica, y ésta funciona.

Así como en el *Quijote* de 1605 las apariciones y funciones del mundo transformado abundan, esta abundancia se transforma en rareza y casi escasez, en el *Quijote* de 1615, donde, por el contrario, abundan las funciones del mundo fingido. Sin duda Cervantes, que ha meditado sobre su propia obra, que se ha autocriticado incluso y que quiere darnos con su segundo tomo un Don Quijote *dilatado*, ha creído más artístico el mundo fingido que el mundo transformado. ¿Por qué?

Creo que, para Cervantes, la complejidad significa totalización, y sabemos que intenta ésta desde su primera novela de 1585; por otra parte, no hay duda de que el mundo fingido puede conjugar más elementos, más universos, en suma, que el mundo transformado, éste, finalmente, es asunto del intramundo, puede ser incluso una prolongación voluntaria del no menos voluntario universo del intramundo; en cambio el mundo fingido funciona con un universo más, es más complejo.

Entre intramundo y mundo transformado por un lado, y por el otro extramundo, mundo fingido e intramundo, no hay duda de que la complejidad artística está en la tríada. ¿Podríamos hablar aquí de una preferencia barroca del autor? ¿Intentó la más compleja combinación como la más artística?

Lo cierto es que cuando Cervantes reflexiona sobre su arte, y con el *Quijote* de 1605 escrito y publicado, decide, siempre hasta cierto punto, sustituir las relaciones problemáticas entre intramundo y mundo transformado, por las relaciones, no menos problemáticas, entre extramundo, mundo fingido e intramundo. (Cuando llegue la hora de las enumeraciones, podremos comprobar lo que avanzo.)

Para el lector moderno, pero quizá ocurría todo lo contrario al lector de la época, las pesadas burlas del mundo fingido no pueden compararse con las aventuras del mundo transformado. ¿Qué vale la entrometida Altisidora ante un héroe que arremete contra los molinos de viento? ¿Qué vale, incluso, la princesa Micomicona, que tenía más quilates como Dorotea la hermosa, ante un Don Quijote que transforma los rebaños de ovejas, los describe puntualmente y finalmente los ataca?

Pero Cervantes no escribía para nosotros, y con todo, habría que distinguir aquí entre burlas y burlas. La burla protagonizada por Altisidora no tiene gran significación, pero la materializada por Sansón Carrasco como Caballero del Bosque o de los Espejos primero, y como Caballero de la Blanca Luna después, tiene una incidencia decisiva sobre el intramundo del héroe.

El intramundo es por fin alcanzado por medio del mundo fingido y así derrotado. Primera derrota, apresurémonos a decir, pues la última y definitiva vendrá del extramundo.

4) EXTRAMUNDO

O el mundo «real», el objetivo, mundo o realidad a secas, y cuyas relaciones y mediaciones no son puestas en duda en la obra.

El extramundo funciona en la estructura paródica, a primera vista, como en el resto de la novelística: se opone al protagonista, lo vence o es vencido o se llega a un arreglo que se llama equilibrio, y que alguna crítica llama novela de la educación (el héroe renuncia a ciertos valores, y renuncia a la lucha, a cambio de encontrar un puesto en el mundo).

A primera vista digo, porque en esta estructura de los numerosos puntos de vista, en seguida podemos comprobar que el extramundo no sólo ha de enfrentarse con el intramundo, sino con el mundo transformado por el intramundo; como dijimos, nada puede el extramundo contra las transformaciones del mundo, por eso para llegar hasta el héroe ha de convertirse en mundo fingido.

Hay, pues, otras funciones a cargo del mundo objetivo, que la conocida función de enfrentarse con el héroe.

El extramundo, para empezar, es una constante en la estructura paródica; es, además, la referencia obligada si efectivamente se quería escribir una parodia. En el mundo caballeresco no hay ninguna representación del mundo real porque ésta no es necesaria, pero Cervantes, al escoger la parodia como estructura del *Quijote*, introduce precisamente la objetividad o el extramundo como referencia que obligatoriamente desvalorizaba el universo de la andante caballería.

Cervantes, además, se vale constantemente del detalle real, o más real, para ridiculizar los libros de caballerías (y por eso salva de la quema al *Tirante el Blanco*, porque esta obra no es exactamente un libro de caballerías, aunque así se entendió en la época; porque en esta obra no sólo los caballeros comen y duermen, sino que el mundo objetivo o extramundo está representado).

La constante presencia del extramundo sirve también para contrastar, y también constantemente, la función y la existencia de los otros mundos imaginados y organizados en la estructura paródica de la obra.

Cuando llegue la hora de la enumeración, veremos que el extramundo se introduce, de una manera o de otra, en todos los universos, en los otros tres universos de la novela; o como representación o como referencia obligada (incluso cuando el extramundo no está en el texto, ha de estar por fuerza en la mente del lector, lector o punto de vista del lector, que también tuvo en cuenta Cervantes).

El extramundo no sólo se enfrenta como puede o cuando puede con el resto de los universos, sino que también produce dentro de su estructura o ámbito situaciones, personajes, nuevas relaciones. Del extramundo proceden muchos de los sucesos de la venta del *Quijote* de 1605 (historias de Fernando y Dorotea, de Cardenio y Luscinda, de Don Luis y Clara, etc.). También en el *Quijote* de 1615 el extramundo hace funcionar al trío Camacho, Quiteria, Basilio, o a la pareja de Claudia Jerónima y Vicente Torrellas, etc.

El extramundo está presente en el *En un lugar de la Mancha*, como está presente en Barcelona, y sobre todo el extramundo va a quedar como reino y señor de toda la novela, barriendo de ella las sombras maravillosas del intramundo y del mundo transformado, y la menos maravillosa, pero muy ingeniosa, del mundo fingido; el extramundo va a matar a Don Quijote.

Esta *mise à mort* del héroe ocurre en dos tiempos: primeramente, el extramundo por medio del mundo fingido, o Caballero de la Blanca Luna de triste memoria, derrota al héroe de la única manera que podía derrotarlo; y después, el extramundo triunfa estruendosamente cuando Don Quijote deja de ser Don Quijote y vuelve a la realidad primera, a la que no podía ser novelada de ninguna manera; cuando Don Quijote desaparece, la novela de Alonso Quijano es imposible, por eso sólo queda la historia de Alonso Quijano, una pequeña historia que se terminará en seguida.

—Señores —dijo Don Quijote—, vámonos poco a poco, pues ya en los nidos de antaño no hay pájaros hogaño. Yo fui loco, y ya soy cuerdo: fui Don Quijote de la Mancha, y soy agora, como he dicho, Alonso Quijano el Bueno.

Nada más triste que esta confesión, porque con ella la novela es ya imposible; el intramundo que nació de una ruptura radical desaparece, con él se va el mundo transformado, con él se va, porque ya no sirve, el mundo fingido, sólo queda el extramundo, y éste, dadas las premisas del primer capítulo de la obra, no puede ser novelable.

Claro que el autor, el bendito Cide Hamete Benengeli sin duda, continúa llamando Don Quijote a Alonso Quijano, pero es igual, el extramundo ha triunfado.

Estructuralmente, este final sólo tiene una explicación: ha sido escogido en virtud de su función; o de otra manera, sea la que fuere la significación de este final (en cuya interpretación, sin duda alta, no me meto), solamente el universo más fuerte, más rico en relaciones y mediaciones, podía triunfar.

Como las cosas humanas no sean eternas, yendo siempre en declinación de sus principios hasta llegar a su último fin, especialmente la vida de los hombres, y como la de Don Quijote no tuviese privilegio del cielo para detener el curso de la suya, llegó su fin y acabamiento cuando él menos lo pensaba...

Un físico diría ante esta frase que Cervantes está expresando con otras palabras uno de los principios o leyes de la Termodinámica: la entropía. Y, efectivamente, Cervantes, aunque no enuncia ninguna ley, reconoce lo que pudiéramos llamar marcha del tiempo o de las cosas, *Como las cosas humanas no sean eternas*, todo tiende a disminuir, a apagarse, a morir, y el cuádruple universo de la estructura paródica ha de apagarse también, ha de acabarse; pero funcionalmente los cuatro mundos no pueden morir uno por uno y separadamente, porque entonces tendríamos cuatro finales para la obra; ha de haber un solo final, un solo mundo ha de sobrevivir a la muerte de los otros, significando así la muerte de los otros. Y este mundo tenía que ser, también funcionalmente, el extramundo.

Hay además un principio estético que podríamos llamar de *unidad:* la obra es una, el héroe es uno, la complejidad puede ser tan grande como se quiera, pero el final ha de deshacer los malentendidos y resolver todas las aventuras, el final ha de ser uno también, etc. La obra partió de la realidad y volvió a la realidad; empezó en pleno extramundo, *en un lugar de la Mancha,* y va a terminar en el mismo lugar; surgió una ruptura, la irrupción de una novela en la historia anodina de un hidalgo vulgar, se produjeron después otros mundos, porque el intramundo recién nacido tenía mucha fuerza, pero pasó el tiempo y, como todas las cosas caminan a su acabamiento, la novela acaba en historia, y el extramundo vuelve a ser lo que era: un opaco universo donde una vez ocurrió una aventura.

II

LOS HABITANTES DE LOS CUATRO MUNDOS DE LA ESTRUCTURA PARODICA

—¿Ves aquella polvareda que allí se levanta, Sancho? Pues toda es cuajada de un copiosísimo ejército que de diversas e innumerables gentes por allí vienen marchando.

Parte I, XVIII.

Hemos establecido la existencia de cuatro universos que de una manera o de otra, relacionándose entre sí, o destruyéndose, además de crearse, constituyen la estructura paródica del *Quijote*.

Se trata ahora de describir su funcionamiento a partir no de ellos mismos, sino de los personajes que los habitan y pueblan. Un universo novelesco no es ese «pavoroso estar ahí» que describía Ortega refiriéndose, bien injustamente, al *Dasein* hegeliano, no es un simple estar, opaco, establecido y pétreo, sino un ámbito en el que circulan hombres y mujeres que llamamos personajes.

Los habitantes de un universo novelesco no son exactamente libres o no son abstractamente libres, sino que están mediados y a veces claramente determinados, por las leyes que rigen y organizan en y su universo; precisamente una de las mayores paradojas del personaje literario consiste en que cuanto más ligado está a su mundo, más libre nos parece, por la sencilla razón de que un personaje no es más que la expresión de las leyes inmanentes o reglas internas de su universo, de su mundo, éste existe a través de sus personajes y los personajes lo encarnan, lo materializan, lo hacen así vivir.

Un mundo novelesco sin habitantes, es decir, una pura descripción, no existe si no influye o media al protagonista que lo sufre; el héroe que se opone a un mundo despoblado, por apurar este ejemplo, ha de sentir en su propia carne las huellas de ese despoblado mundo; o de otra manera, el mundo despoblado sólo puede existir a través del héroe, ya que no posee antihéroe, antagonista, enemigo, etc. (Con el tiempo, la novelística ha llegado a crear universos despoblados, la selva americana de *Canaima*, de Rómulo Gallegos, por ejemplo, pero aun en este caso, y como dije, el mundo vive a través del protagonista.)

Cervantes no ha creado sus universos en abstracto, no ha construido simples descripciones estáticas, sino que ha poblado sus universos de una fauna humana bien caracterizada, y al decir de todos los críticos, muy viva. Se ha reconocido en los personajes del *Quijote* un fluir existencial, una vivencia, pocas veces conseguida por un novelista. De una manera general, los personajes del *Quijote*, todos o casi todos, viven, palpitan.

¿Son los personajes los que viven o son sus universos?

Como intentaré demostrar más adelante, la excepcional vivencia de los personajes de la obra responde, en primer lugar, a la variedad de universos conseguidos o materializados; y en segundo lugar, a la riqueza y consistencia de los universos construidos o materializados.

Esto no quiere decir que los personajes sean meros emisarios o representantes de sus universos; en realidad parece ocurrir lo contrario: los universos sólo existen a través de sus personajes (ninguna descripción hay de los Duques, no sabemos cómo son físicamente ni sabemos sus antecedentes; es igual, los vemos obrar, actuar, los vemos como actantes, y a través de sus actos, se nos revela su mundo, su universo, incluso su clase social).

El que los universos funcionen a través de sus personajes o que éstos funcionen en función, y perdóneseme la redundancia, de su universo tampoco es un ataque a la densidad psicológica de estos mismos personajes. Cervantes es capaz de adensar psicológicamente a sus personajes con una sola réplica: compruébese, por ejemplo, en el capítulo XXXII del *Quijote* de 1605, las réplicas, o quizá opiniones, del ventero, de su hija, de Maritornes, etc., sobre los libros de caballerías, y comprobaremos cómo a través de sus palabras queda retratada toda una personalidad.

El problema no es, pues, el nivel psicológico de los personajes, sino su nivel de acción, qué hacen, qué quieren hacer, qué consiguen y también en función de qué se mueven.

Estamos, pues, ante un comportamiento, y éste ha de venir engendrado, mediado, a veces determinado casi mecánicamente, por el mundo a que pertenecen, por el mundo que les ha creado.

Si logramos enumerar, o quizá ordenar, el comportamiento de los personajes de la obra, lograremos describir su funcionamiento, llegaremos así, siempre aproximadamente, a saber cómo funciona la estructura paródica, quizá, cómo funciona la obra.

Imaginemos, para la comodidad de la representación, que estos cuatro universos están dispuestos como la rosa de los vientos:

I (Intramundo)

MF (Mundo Fingido)   MT (Mundo Transformado)

E (Extramundo)

Ahora se trata de establecer, casi algebraicamente, las relaciones entre los diversos universos I-E, E-I, MT-MF, etcétera, a través de los personajes que actúan en la obra; para ello voy a agrupar, tras cada representación casi algebraica de la relación entre los universos, las aventuras o sucesos de la obra.

Para la enumeración que sigue he tenido en cuenta: ante todo, de dónde parte la acción, quién es el que la inicia o de dónde proviene. Este punto de partida es importante o esencial, quizá, porque no se trata sólo de un personaje que toma una decisión, sino del universo del personaje. Para su representación, si digo, por ejemplo, E-I, quiero decir que el extramundo inicia una acción en relación con el intramundo; si escribo E-MF quiero decir que el extramundo engendra o se relaciona con el mundo fingido, etc.

He tenido también en cuenta la doble función de ciertas de las relaciones establecidas; en este punto he encontrado que la acción o el inicio de la relación partía de dos mundos a la vez o quizá, modestamente lo diré, no he encontrado con certeza de qué mundo partía la acción.

Las relaciones descritas I-E, E-I, E-MF, etc., son para mí funciones, porque describen el funcionamiento de la obra a través del funcionamiento de sus universos y de sus personajes.

Las variaciones posibles, matemáticamente hablando, entre cuatro elementos, I, E, MT y MF, formando grupos de dos, de tres o de cuatro, son muy numerosas, pero, como veremos, el *Quijote* no es un juego matemático, sino una estructura que funciona, lo que quiere decir que habrá combinaciones, esto es, relaciones, imposibles, e intentaré describir o explicar por qué.

Todo lo que sigue no deja de ser una aproximación; no he recogido todos los personajes del *Quijote* porque para la demostración lo creo innecesario, pero sí he recogido los personajes sin los cuales, y bien fácil es verlo, la obra no existiría.

III

FUNCIONES

> En resolución, él tomó sus simples, de los cuales hizo un compuesto, mezclándolos todos y cociéndolos un buen espacio, hasta que le pareció que estaban en su punto.
>
> Parte I, XVII.

1) I: INTRAMUNDO

¿Puede el intramundo funcionar, por sí solo, sin ninguna referencia, sin ninguna aparente relación? Es muy dudoso. Con todo, no sólo hay que tener en cuenta a este intramundo a la hora de la mayor parte de las relaciones o funciones que siguen, sino también en relación y en función con lo que señalo en «La estructura paródica como marco»; allí veremos, o podremos ver, si efectivamente o no, este intramundo es inspirador y mediador de lo que llamo *Literatura*.

Aquí me voy a limitar a señalar dos momentos o escenas bien conocidas, en los capítulos I y IV del *Quijote* de 1605, en las que nuestro héroe parece enfrentarse consigo mismo.

Efectivamente, en el capítulo I, «rematado ya su juicio», como dice el texto, empieza la acción, una acción bien solitaria por cierto:

Y lo primero que hizo fue limpiar unas armas que habían sido de sus bisabuelos, que, tomadas de orín y llenas de moho, luengos siglos había que estaban puestas y olvidadas en un rincón.

Aderezadas las armas, va a ver a su caballo, «a ver a su rocín», y le busca nombre, esto es, le personaliza, le convierte también, y de alguna manera, en personaje novelesco:

Cuatro días se le pasaron en imaginar qué nombre le pondría.

Pero al cabo de los cuatro días, el rocín se convierte en Rocinante, y ahora con armas y caballos, el nuevo protagonista procede a autobautizarse, a darse un nombre (y no una personalidad, ya que ésta ha aparecido ya desde el momento de la ruptura).

Puesto nombre, y tan a su gusto, a su caballo, quiso ponérselo a sí mismo, y en este pensamiento duró otros ocho días, y al cabo se vino a llamar Don Quijote...

¿Qué queda en esta solitaria excursión por el intramundo? Solamente la dama, y recordando a Aldonza Lorenzo:

... vino a llamarla Dulcinea del Toboso, porque era natural del Toboso; nombre, a su parecer, músico y peregrino y significativo, como todos los demás que a él y a sus cosas había puesto.

Claro es que en este intramundo, en principio sin relaciones, lo que verdaderamente aparece como determinante es la voluntad del caballero; voluntad que, como veremos, alcanzará toda su fuerza en el mundo transformado.

El otro ejemplo al que me refería más arriba, el del capítulo VI de esta misma parte, queda ya apuntado cuando hablé de *La búsqueda de una personalidad propia* («Yo sé quién soy», etc.).

El intramundo, es claro, que estará presente todo a lo largo de la obra, pero siempre en relación con los demás mundos, con los demás universos de la estructura paródica.

2) I-MT (E): Intramundo-Mundo Transformado (Extramundo)

Se trata aquí de la mediación o del grupo de relaciones más importantes, originales y paródicas de la obra. Como dijimos, el intramundo segrega a sí mismo un universo voluntario o mundo transformado y se enfrenta con él (Don Quijote o el intramundo se enfrenta con los molinos que cree gigantes); al final de esta relación, cuando la relación establecida ha agotado su momento o su historia, suele aparecer el extramundo, pero esta aparición o presencia (por eso va entre paréntesis) no es obligatoria.

El extramundo así, puede aparecer o como referencia textual o simplemente como alusión. Lógicamente, Cervantes sabe que el lector tiene en cuenta constantemente el extramundo, la realidad objetiva, pero esta realidad objetiva no tiene por qué aparecer en el texto, no tiene por qué existir para Don Quijote, puesto que la fuerza de la relación Intramundo-Mundo Transformado hace innecesaria cualquier presencia.

Y así ocurre, por ejemplo, en la aventura de los cueros de vino del capítulo XXXV del *Quijote* de 1605: mientras el resto de los personajes asiste a la lectura de la novela de *El curioso impertinente* se interrumpe la acción:

En esto, oyeron un gran ruido en el aposento y que Don Quijote decía a voces:
—¡Tente, ladrón, malandrín, follón; que aquí te tengo, y no te ha de valer tu cimitarra!

Todos los personajes se apresuran a intervenir, pero Don Quijote continúa como dormido, es decir, sumido en su intramundo y en lucha contra el mundo transformado, y dormido:

... con no poco trabajo, dieron con Don Quijote en la cama, el cual se quedó dormido, con muestras de grandísimo cansancio. Dejáronlo dormir...

El lector y el resto de los personajes de la escena saben que el héroe ha arremetido contra unos cueros de vino, pero Don Quijote no sabe nada, Don Quijote ha librado una batalla más en su mundo transformado.

Generalmente, sin embargo, el extramundo acaba por aparecer al final de la aventura, y el extramundo, como sabemos, es inmediatamente transformado por Don Quijote, que achaca la presencia de la realidad a los manejos de los encantadores que le persiguen (recuérdese lo que queda anotado cuando hablé del *mundo transformado* y de la batalla de Don Quijote contra el rebaño de carneros).

Dije que las relaciones que intento enumerar, más que describir aquí, eran las más importantes, originales y paródicas de la obra; efectivamente, es la primera vez en la literatura novelesca que aparece esta lucha o enfrentamiento de universos, la primera vez que un intramundo transforma la realidad, al mismo tiempo que la realidad, por sí misma, continúa existiendo. Y no es una casualidad si las escenas que más rápidamente han alcanzado la universalidad son las construidas a partir de las relaciones del intramundo con el mundo transformado y el extramundo (creo que la figura de Don Quijote atacando lanza en ristre los molinos de viento es la más popular o popularizada de nuestro héroe).

Cervantes, en posesión de varios universos los hace jugar, combinarse entre sí, y lo mismo ocurrirá cuando estudiemos las relaciones entre extramundo-mundo fingido e intramundo-mundo transformado; sin embargo, en el caso que nos ocupa, la acción parte del intramundo, del mismo Don Quijote, que continúa siendo el héroe de la novela.

Relaciones son éstas, estoy por afirmar, que expresan con la mayor fuerza posible lo que pudiéramos entender por *esencia* de la obra; relaciones y funciones, en fin, que dan toda la dimensión del voluntarismo del protagonista, de su capacidad de acción y de su capacidad de transformación.

El intramundo segrega mundo transformado, pero como nos encontramos en una estructura paródica, el extramundo, el gesto desencantador, está siempre al final de la aventura, aunque no para desautorizarla o aniquilarla, ya que, como sabemos, el intramundo del héroe encuentra siempre razones para explicar el fracaso; no, el extramundo y su desencanto están aquí para subrayar paródicamente la aventura, para relacionarse con ella también, y al relacionarse para dar nueva dimensión, nueva extensión a la obra entera.

Creo que el intramundo genera mundo transformado en los siguientes capítulos de la obra:

Quijote de 1605

Sucesos de la venta, ventero y mozas del partido, Don Quijote es armado caballero (Caps. ii y iii). En estas escenas hay doble función, como se anotará después.

Aventuras de los molinos y del Vizcaíno (Cap. viii).

Razonamientos entre Don Quijote y Sancho (Cap. x).

Sucesos en la venta que Don Quijote pensaba era castillo, ventero y Maritornes (Caps. xvi-xvii). Doble función.

Aventura de los rebaños de carneros (Cap. xviii).

Aventura del cuerpo muerto y encuentro con el Bachiller Alonso López (Cap. xix). Doble función.

Aventura de los batanes (Cap. xx). Doble función.

La ganancia del yelmo de Mambrino (Cap. xxi).

Aventura de los cueros de vino (Cap. xxxv).

Aventura de los disciplinantes (Cap. lii).

Quijote de 1615

Conversación de Sancho con Teresa (Cap. v).

Don Quijote y la carreta de las Cortes de la Muerte (Cap. xi). Doble función.

Aventura de los leones (Cap. xviii).

La cueva de Montesinos (Caps. xxi y siguientes).

Maese Pedro, el mono adivino y el retablo de la libertad de Melisendra (Caps. xxv-xxvi). Doble función.

Aventura del barco encantado (Cap. xxix).

Don Quijote piensa hacerse pastor (Cap. lxvii).

Dos observaciones en esta sin duda incompleta descripción o enumeración de funciones; en primer lugar se puede decir que el *Quijote* de 1605 emplea con más frecuencia las relaciones que parten del intramundo y segregan mundo transformado que el *Quijote* de 1615. Lo que debe tenerse en cuenta si se quiere ahondar un poco más en las diferencias entre las dos partes de la obra.

En segundo lugar hay que decir que las funciones I-MT (E), juntamente con las que enumeramos en E-MF (I, MT), son las más numerosas de la obra; con lo que quiero decir, aunque para nadie puede ser un secreto, que Cervantes está por la complejidad.

3) I-E: Intramundo-Extramundo

Es la relación que podríamos denominar seca, sin pantallas protectoras o deformadoras, la relación y por tanto la función desnuda: el intramundo se enfrenta con la realidad objetiva tomando a esta realidad por lo que es y por lo que parece.

Claro está que, apurando los términos, Don Quijote nunca puede ser un intramundo puro, I puro, como en los casos señalados en I, ya que a partir de estos dos capítulos, el primero y el cuarto del *Quijote* de 1605, Don Quijote lleva ya consigo todo su mundo transformado. Cuando decimos, pues, I, intramundo, entenderemos que nos encontramos ya ante un intramundo en relación con.

Sin embargo, creo que en tres ocasiones, aunque una con doble función, el intramundo se enfrenta con el mundo objetivo:

Quijote de 1605

Aventuras de Juan Haldudo y su criado Andrés, y con los mercaderes (Cap. iv).
Aventura de los galeotes (Cap. xxi). Doble función.

Quijote de 1615

Encuentro con el Caballero del Verde Gabán, Don Diego de Miranda (Caps. xvi y siguientes).

En la aventura de Juan Haldudo y su criado Andrés, por ejemplo, Don Quijote empieza por creer que se encuentra ante una aventura, puesto que al escuchar las quejas del muchacho dice, entre otras cosas:

Estas voces, sin duda, son de algún menesteroso o menesterosa, que ha menester mi favor y ayuda.

Pero inmediatamente después la realidad, sin ninguna transformación, es ofrecida a los ojos del caballero:

...vio atada una yegua a una encina, y atado a otra un muchacho, desnudo de medio cuerpo arriba, hasta de edad de quince años, que era el que las voces daba, y no sin causa, porque le estaba dando con una pretina muchos azotes un labrador de buen talle...

La aventura continúa sin que el mundo transformado aparezca por ninguna parte; Don Quijote ve los hechos, los juzga y sentencia en consecuencia. Claro es que, como quedó apuntado, en el juzgar los hechos reales que ve entra ya el mundo transformado, pero lo que hay que señalar aquí es la existencia del extramundo, de un realidad objetiva sin pantallas.

Y lo mismo ocurrirá con los galeotes, a los que escucha, juzga y sentencia en consecuencia; lo mismo también con el Caballero del Verde Gabán, con el que trata y discute sin salirse nunca de la realidad objetiva, aunque, repito, llevando siempre dentro de sí el mundo transformado.

El que no abunden escenas en la obra basadas en esta función entre I y E se explica fácilmente si seguimos considerando que Cervantes es partidario de la complejidad y del punto de vista: un intramundo enfrentado con el extramundo es relación normal y casi obligatoria de toda novela, pero la originalidad de la estructura paródica consiste, como sabemos, en el desdoblamiento de los mundos, en la multiplicación de los planos.

4) I-MF: Intramundo-Mundo Fingido

Esta relación, y por tanto esta función, es poco menos que imposible en la estructura paródica; el mundo fingido es una creación del extramundo precisamente para enfrentarse con el intramundo y el mundo transformado de Don Quijote; parece inconcebible que el intramundo, sin un protector mundo transformado, se pueda relacionar con un mundo fingido.

Y esto parece inconcebible porque, a fin de cuentas, el mundo fingido existe o es creado, en paralelo al mundo transformado del héroe; se trata, los otros, el extramundo trata, de que el héroe confunda mundo fingido con mundo transformado; no parece, pues, haber posibilidad de una relación entre el intramundo auténtico y el inauténtico mundo fingido, a no ser, claro, que el intramundo quisiera fingir también, quisiera crear mundo fingido y no transformado, quisiera ser inauténtico, en una palabra.

Y, sin embargo, hay un momento en el *Quijote* en el que quizá se dé esta relación; me refiero a la penitencia que Don Quijote, a imitación de Amadís, hace en Sierra Morena; en este momento, y muy conscientemente al parecer, el héroe decide hacer el loco, el intramundo decide fingir, hacer mundo fingido (Cap. xxv del *Quijote* de 1605). Y como de costumbre, en esta obra en que nada parece haberse dejado al azar, el autor prepara este fingimiento después de una historieta o chiste a cargo de Don Quijote: cuenta éste la anécdota de la «viuda hermosa, moza libre y rica, y sobre todo desenfadada» que «se enamoró de un mozo motilón». Reprendida por ello, responde: «Para lo que yo le quiero, tanta filosofía sabe, y más, que Aristóteles.» De aquí deduce Don Quijote que le importa poco el linaje de Aldonza Lorenzo, es decir, podemos leer entre líneas que él, el héroe, es capaz de imaginarse a Aldonza como Dulcinea.

A continuación viene la escena de las cartas, y el querer hacer locuras Don Quijote para que Sancho se las cuente a Dulcinea; hay que notar que este hacer el loco es aquí voluntario, es más, que el texto dice:

—Así, Sancho —dijo Don Quijote—, que, a lo que me parece, que no estás tú más cuerdo que yo.

Es la primera vez, y creo que la única, en que Don Quijote hace el loco conscientemente, es decir, fingidamente.

Se podría aducir en contra que lo que hace Don Quijote, siguiendo la inspiración de su intramundo, es sencillamente transformar el mundo, pero aquí da la casualidad que esta transformación es consciente, es decir, que hay una distanciación entre el intramundo del héroe y el mundo transformado, o entre el intramundo y el mundo que se quiere hacer o fingir. Como sabemos, entre el intramundo y el mundo transformado no hay solución de continuidad, el mundo transformado es voluntario y efecto voluntario del intramundo, es el acto de una intención o es la intención hecha acto.

No hay, pues, al parecer, posibilidad de un intramundo relacionándose directamente con el mundo fingido, salvo la excepción que queda anotada y que, en parte, me sigue pareciendo discutible.

5) E: Extramundo

De nuevo nos encontramos como ante el caso del intramundo desrelacionado. ¿Puede existir un extramundo sin relaciones constitutivas del mismo? Se podría responder inmediatamente que una pura descripción sería un puro extramundo, pero da la casualidad que en el *Quijote* no hay ninguna descripción gratuita, es más, que las descripciones vienen siempre visiblemente al servicio de la acción, y hasta el paisaje, cuando existe, se pone al servicio de la acción. Por ejemplo, el capítulo XXI de la Primera Parte empieza:

En esto, comenzó a llover un poco...

pero la lluvia sólo viene, o es traída para que el barbero se ponga la bacía en la cabeza, y así Don Quijote pueda acometer la famosa aventura del yelmo de Mambrino.

El extramundo, como sabemos, ha de engendrar un mundo fingido para oponerse al héroe, pero aun así, está siempre presente en la obra y explícitamente presente cuando dice el texto *En un lugar de la Mancha*, en el primer capítulo, y cuando en el último capítulo de la obra reaparece Alonso Quijano, etc. El extramundo, aunque no se relacione, está siempre presente.

La función de extramundo, finalmente, es la de soporte a toda la obra; es el punto de referencia que tendrá siempre presente el lector y que el lector, y no el texto, se encargará de relacionar con el resto de los universos o de los mundos de la estructura paródica.

Finalmente, el extramundo, lo mismo que el intramundo, hay que ponerlo en relación con lo que anotaré en «la estructura paródica como marco», donde nos le volveremos a encontrar (en realidad, al extramundo nos lo encontramos siempre).

6) E-MF (I, MT): EXTRAMUNDO-MUNDO FINGIDO
(INTRAMUNDO, MUNDO TRANSFORMADO)

El extramundo crea el mundo fingido para enfrentarse con el mundo transformado, que lleva dentro de sí al intramundo; en principio, las relaciones y funciones que intento enumerar aquí son las más ricas de la obra, puesto que ponen en contacto los cuatro mundos o universos de la estructura paródica. Sin duda, para la historia de la novelística, las funciones I-MT (E), o intramundo-mundo transformado y extramundo, son las más originales o nuevas, pero las más complejas y quizá completas son las que trato de enumerar aquí.

Cervantes, como quedó anotado y observaremos inmediatamente, hace funcionar a estas relaciones con mayor frecuencia en el *Quijote* de 1615 que en el de 1605; también quedó anotada la función de la burla, quizá Cervantes abusó de este procedimiento, el de la burla, en 1615, y quizá fue consciente de ello, pues en el capítulo LXX de 1615 escribe:

Y dice más Cide Hamete: que tiene para sí ser tan locos los burladores como los burlados, y que no estaban los Duques a dos dedos de parecer tontos, pues tanto ahínco ponían en burlarse de dos tontos.

Con todo, nos encontramos ante una manipulación artística del extramundo, ante un doble extramundo también, pues no otra cosa es el mundo fingido, que ha de oponerse al intramundo y a su doble, el mundo transformado.

Funcionalmente, estas relaciones se constituyen de la siguiente manera: el extramundo ante el mundo transformado por el intramundo, decide crear o segregar de sí, y muy conscientemente, un mundo fingido, único capaz, como sabemos, de oponerse al mundo transformado, único también que puede entrar en comunicación con el intramundo a través siempre del mundo transformado. Don Quijote, como también quedó apuntado, es intocable, inaccesible en su intramundo hermético; sin embargo, su mundo transformado, su obra en suma, puede ser alcanzada y también destruida a partir de un mundo fingido que finge, precisamente, obedecer a las mismas leyes internas que el mundo transformado.

El ejemplo más claro y que podría traerse aquí a colación lo constituye las dos salidas, porque también fueron salidas, del Bachiller Sansón Carrasco, una como Caballero del Bosque o de los Espejos y otra como Caballero de la Blanca Luna; en estas dos ocasiones el Bachiller finge un mundo paralelo al de Don Quijote, lo calca casi, puesto que el Bachiller también aparece como armado caballero en busca de aventuras.

Como sabemos, la primera salida del Bachiller, oh ironía de las ironías, acaba mal para el aventurero; la segunda, la más triste y trágica del libro, acaba con el vencimiento de Don Quijote en la playa de Barcelona, y también con la muerte del mismo héroe, ya que Don Quijote nunca se repondrá de esta postrer derrota. El mundo fingido que vence en la playa de Barcelona, se mantiene como mundo fingido y Don Quijote ha de pechar con el desastre (naturalmente, si Don Quijote hubiera sabido que el Caballero de la Blanca Luna era el Bachiller, la derrota hubiera quedado sin efecto gracias a los encantadores o al malvado Frestón, pero, como dije, el mundo fingido conserva su identidad, se conserva fingido).

Y en el capítulo LXVI de 1615 Don Quijote, camino ya de su aldea después de la derrota, reconocerá esta fuerza del mundo fingido al exclamar, mirando «el sitio donde había caído»:

—¡Aquí fue Troya! ¡Aquí mi desdicha, y no mi cobardía, se llevó mis alcanzadas glorias; aquí usó la fortuna conmigo de sus vueltas y revueltas; aquí se escurecieron mis hazañas; aquí, finalmente, cayó mi ventura para jamás levantarse!

Observemos que Don Quijote habla de la fortuna, y no de encantadores y hechiceros. como había hecho después de vencer al Caballero del Bosque, capítulo XIV del *Quijote* de 1615, donde dice:

—¡Acude, Sancho, y mira lo que has de ver y no lo has de creer! ¡Aguija, hijo, y advierte lo que puede la magia; lo que pueden los hechiceros y los encantadores!

El mundo fingido, pues, conserva todo su valor y fuerza cuando conserva su apariencia, entonces este mundo fingido es explicado por la fortuna, siempre veleidosa con sus vueltas y revueltas; pero si el mundo fingido transparenta el extramundo de donde procede, el héroe, automáticamente, encuentra razones en los encantadores y hechiceros de su mundo transformado y queda así, el héroe, tan incólume como estaba.

Para la enumeración que va a seguir, podemos ya tener en cuenta algunas observaciones; ante todo, que en el *Quijote* de 1615 Cervantes emplea con bastante frecuencia la función de la burla, esto es, las funciones que derivan del extramundo convertido en mundo fingido; este empleo de la burla tradicional, si se profundiza un poco, no es tan tradicional como parece, ya que estamos en una estructura paródica, y en ella parecen convocados más de dos universos (en la burla tradicional, por ejemplo, hay un solo extramundo para el burlador y para el burlado; o, de otra manera, el mundo fingido del burlador no encuentra ningún mundo transformado a quien oponerse o sobre quien operar, solamente se enfrenta con el extramundo).

Así como Cervantes en el *Quijote* de 1605 había centrado la función del mismo en la acción del intramundo y del mundo transformado, en el de 1615 este centro de interés, que es un centro estructural o funcional, parece desplazarse hacia la acción de extramundo como mundo fingido, operando sobre el mundo transformado y sobre el intramundo. Como podemos irnos dando cuenta, los dos *Quijotes*, aunque parecen complementarse, y sin duda se complementan, también se diferencian y mucho.

Otra observación: Sancho se transforma en el *Quijote* de 1615, sobre todo, en un auténtico coprotagonista, poseedor de un auténtico intramundo, y puede oponerse así, en la Insula Barataria, al mundo fingido que también le atosiga.

Enumeraré, finalmente, las funciones que encuentro basadas en E-MF (I, MT).

Quijote de 1605

El Ama y la Sobrina engañan a Don Quijote (Cap. vii).

Sancho, el Cura y el Barbero se preparan a engañar al héroe, y Sancho le engaña con motivo de su viaje al Toboso (Caps. xvi y siguientes).

El Cura, el Barbero y Dorotea engañan a Don Quijote (Cap. xxix).

Maritornes y la hija del ventero le atan la mano a Don Quijote (Cap. xliii).

Enjaulamiento o encantamiento de Don Quijote (Capítulos xlvi y siguientes).

Quijote de 1615

Sancho encanta a Dulcinea (Cap. x).

Aventura con el Caballero del Bosque o de los Espejos (Caps. xii al xv).

Los Duques aparecen en el Cap. xxx y detienen el andar del héroe prácticamente hasta el Cap. lvii.

Cabalgata de Merlín, desencantamiento de Dulcinea, etcétera (Caps. xxxiv y siguientes).

Aventura de la Dueña Trifaldi (Caps. xxxvi y siguientes).

Aventura de Clavileño (Cap. xli). Doble función.

Canción de Altisidora (Cap. xliv).

Sancho en la Insula Barataria (Caps. xlv, xlvii, xlix, li y liii).

Altisidora de nuevo (Cap. lvii).

Aventura de la cabeza encantada en Barcelona (Capítulo lxii).

El Caballero de la Blanca Luna derrota al héroe (Capítulos lxiv-v).

Altisidora, muerta y resucitada (Caps. lxviii y siguientes).

Sancho azota los árboles (Cap. lxxi).

7) E-I: Extramundo-Intramundo

Lo mismo que en la función simple I-E, o intramundo con, contra, en relación, etc., extramundo, aquí la relación y por tanto la función es seca, sin pantallas, desnuda. El mundo objetivo, la realidad, el extramundo, en suma, ataca al héroe sin necesidad de fingir, sin necesidad de crear o segregar un mundo fingido.

Y de la misma manera que Cervantes no empleó, o empleó muy poco, la función seca, sin pantallas, entre intramundo y extramundo, tampoco va a emplear la función constituida por extramundo-intramundo; dije, y siempre hay que repetirlo, que Cervantes está por la complejidad, y que estructura paródica significa, después de todo, también complejidad.

La función extramundo-intramundo se da en la obra cuando la realidad ataca o se pone en relación con el héroe sin que éste eche mano del mundo transformado, o de los encantadores como otras veces ocurre. Aquí, el héroe sufre el embiste del extramundo en su propia carne sin pantallas.

A notar inmediatamente que el extramundo se comunica con el intramundo para atacarlo con una sola excepción: cuando la Dueña Doña Rodríguez pide auxilio a Don Quijote en el palacio de los Duques.

Quijote de 1605
    Yangüeses o gallegos contra Don Quijote (Cap. xv).
    Segundo encuentro con Andrés (Cap. xxxi).

Quijote de 1615
    Don Quijote se retira en la aventura del rebuzno (Capítulo xxvii).
    El eclesiástico de los Duques le ataca (Caps. xxxi-xxxii).
    Doña Rodríguez y Don Quijote (Caps. xlviii, lii y lvi). Doble función.
    Los toros derriban a Don Quijote (Cap. lviii).
    Tosilos de nuevo (Cap. lxvi). Aventura paralela a la de Andrés.
    La cerdosa aventura (Cap. lxviii).
    Altisidora contra Don Quijote (Cap. lxx).

La primera impresión que produce la función E-I, en el ánimo del lector avezado a mayores complejidades, es la de la gratuidad, y la de una gratuidad no exenta de crueldad; efectivamente, ¿qué pensar de las palabras del socorrido Andrés, que ayudado, con la mejor intención del mundo, por Don Quijote en el capítulo IV, le dice así al héroe en el capítulo XXXI:

Por amor de Dios, señor caballero andante, que si otra vez me encontrare, aunque vea que me hacen pedazos, no me socorra ni me ayude, sino déjeme con mi desgracia; que no será tanta, que no sea mayor la que me vendrá de su ayuda de vuestra merced, a quien Dios maldiga, y a todos cuantos caballeros andantes han nacido en el mundo.

Más amable, menos cruel, es el encuentro paralelo con Tosilos, éste explica a Don Quijote «que no hubo encanto alguno ni mudanza de rostro ninguna»; y el héroe acepta los hechos, los ataques del extramundo, sin echar mano del mundo transformado.

El extramundo, con todo, y como sabemos, está siempre presente en la obra, ya en el texto, ya como alusión, pero, como vemos, pocas veces se enfrenta directamente con el intramundo del héroe.

8)   MF: Mundo Fingido

¿Puede existir el mundo fingido sin relación alguna con el extramundo del que procede y con el mundo transformado para el que efectivamente ha nacido?

El mundo fingido, como se recordará, es la apariencia que ha de tomar la realidad o extramundo para lograr alcanzar al héroe; si esta finalidad falta, el mundo fingido no puede existir.

Sin embargo, en una ocasión, que quizá habría que ponerla a la cuenta de las *Historias peregrinas*, que estudiaremos más tarde, aparece este mundo fingido en la estructura paródica, y aparece sin ninguna necesidad de relacionarse con el héroe; me refiero a la fingida Arcadia del capítulo LVIII del *Quijote* de 1615, en la que una de las fingidas zagalas dice, entre otras cosas:

—Detened, señor caballero, el paso, y no rompáis las redes, que no para daño vuestro, sino para nuestro pasatiempo, ahí están tendidas; y porque sé que me habéis de preguntar para qué se han puesto y quiénes somos, os lo quiero decir en breves palabras. En una aldea que está hasta dos leguas de aquí, donde hay mucha gente principal y muchos hidalgos y ricos, entre muchos amigos y parientes se concertó que con sus hijos, mujeres y hijas, vecinos, amigos y parientes, nos viniésemos a holgar a este sitio, que es uno de los más agradables de todos estos contornos, formando entre todos una nueva y pastoril Arcadia...

Este mundo conscientemente fingido y que vive por sí solo, acabará por exaltar el intramundo de Don Quijote, pero, al parecer, existe por sí mismo, sin relación alguna.

9) La doble función

Hay relaciones que tienen una dobla función o que funcionan en dos sentidos o direcciones diferentes y al mismo tiempo; escudriñando el texto, quizá esta doble función aparezca con más frecuencia de la que yo describo, pero téngase en cuenta que yo he partido siempre, o intentado partir, del mundo o universo que engendra la acción, que he sistematizado, y sin duda caricaturizado un poco, pero no podía hacer de otra manera si quería describir una serie de funciones constitutivas; no podía hacer de otra manera, si quería describir el cuádruple mundo de la estructura paródica.

Cervantes, bien lo vemos, no se contenta con poner en relación cuatro mundos o universos, sino que al ponerlos en función suele a veces cambiar el sentido de la relación. Estamos, pues, si se quiere, en el meollo de la complejidad, en el verdadero nudo de la obra o, jugando un poco con las palabras, en el nido de los espejos.

La estructura paródica que permite la coexistencia de cuatro universos, también permite que las relaciones que se establecen entre ellos funcionen en diversos sentidos, y así, como veremos, una función que arranca del extramundo para llegar al intramundo, puede acabar como una relación que arrancando a su vez del intermedio intenta acercarse al extramundo.

Encuentro dobles funciones, claramente materializadas en el texto de la obra, en los siguientes capítulos:

Quijote de 1605

En los Caps. ii y iii, como quedó anotado, existe o se da la función I-MT (E), Don Quijote ante el ventero y las mozas del partido, es un intramundo que segrega un mundo transformado; pero, al mismo tiempo, el ventero y las mozas «por tener que reír aquella noche, determinó de seguirle el humor», con lo que aparece la función E-MF (I, MT), es decir, el exterminio segrega mundo fingido para relacionarse con el intramundo quijotesco y su universo o mundo transformado.

Lo mismo ocurre en los sucesos de la venta de los Capítulos xvi y xvii y con el mismo tipo de doble función que antes.

En el Cap. xix, en la aventura del cuerpo muerto y el Bachiller Alonso López, la función a cargo de Don Quijote, I-MT (E), se transforma después, gracias al Bachiller, en E-I; o sea, el extramundo aparece desnudo atacando el intramundo.

En el Cap. xx, en la aventura de los batanes, ocurre la misma doble función anterior; primero I-MT (E) y después E-I.

En la aventura de los galeotes del Cap. xxii, el intramundo que parece oponerse desnudamente al extramundo, I-E, cambia su función en la opuesta, al final es el extramundo el que se opone al intramundo, E-I.

Quijote de 1615

En el encuentro con la carreta de las Cortes de la muerte (Cap. xi), la función I-MT (E), siempre a cargo de Don Quijote, se transforma en función E-I, con claro ataque del extramundo.

En el encuentro con Maese Pedro y su retablo, la función I-MT (E) o intramundo, que segrega mundo transformado, es también, al mismo tiempo y para el Maese, E-MF (I, MT), o sea, un extramundo que segrega un mundo fingido para enfrentarse con el intramundo y el mundo transformado del héroe.

La aventura de Clavileño (Caps. l-li) es una función E-MF (I, MT) para los Duques y los que le rodean, pero es una función I-T para Don Quijote, o en todo caso, y siempre para Don Quijote, una función intramundo-mundo transformado.

La aventura con Doña Rodríguez (Cap. lii) y lo que sigue, empieza por ser una simple función extramundo-intramundo, E-I, que los demás se apresuran a transformar en E-MF (I, MT), en mundo fingido para oponerse al intramundo quijotesco.

Seguramente hay más dobles funciones que soy incapaz de descubrir y, por ende, de describir, pero me he limitado a anotar las que claramente están expresadas, materializadas en el texto; ni que decir tiene que el lector que está en posesión de varios puntos de vista puede encontrar dobles y hasta triples funciones a lo largo de su lectura, pero aquí no se trata del lector, sino de un texto que funciona.

También se encontrarían dobles y hasta triples funciones, si aplicásemos al texto o si tuviéramos en cuenta la estructura cómica y la estructura irónica del mismo que, como veremos más tarde, están real y objetivamente en la estructura paródica de la obra, pero que no funcionan al nivel de los cuatro universos descritos y enumerados, sino al nivel de una totalización más amplia, de una significación más amplia (aquí, metafóricamente, estamos solamente comprobando el funcionamiento de los significantes).

IV

LA ESTRUCTURA PARODICA COMO MARCO

> ... y así, temo que en aquella historia que dicen que anda impresa de mis hazañas, si por ventura ha sido su autor algún sabio mi enemigo, habrá puesto unas cosas por otras, mezclando con una verdad mil mentiras, divirtiéndose a contar otras acciones fuera de lo que requiere la continuación de una verdadera historia.
>
> Parte II, VIII.

Habrá observado el lector que en las pasadas enumeraciones faltan capítulos enteros, personajes, escenas, circunstancias, etc. Esta falta la voy a justificar inmediatamente: ante todo, lo que falta y voy a anotar seguidamente no es esencial en la obra, sino complementario de la misma. Entendámonos bien, no digo que sobre, o que adorne simplemente, quiero decir que lo que falta y ahora sigue no es esencial para la comprensión de la obra, aunque es necesario para la explicación de la misma.

Comprendo que es inimaginable un *Quijote* sin Grisóstomo y Marcela, por ejemplo, sin embargo, no Grisóstomo ni Marcela median en nada la aventura del héroe, éste no recibe ni da nada, en la aventura del desdichado pastor enamorado y la arrogante doncella. Hay que recordar que estamos haciendo crítica descarnada, que no estamos juzgando una obra, ni siquiera estamos buscando lo que quiere decir, sino solamente el cómo, la función de sus elementos; se trata de describir por medio de un esquema (quizá imperfecto, pero siempre perfectible) el sistema de las funciones de una obra; se trata de aislar los elementos de una estructura, para ver cómo funcionan, relacionan, median entre sí. En la descarnada enumeración de estos elementos, nos encontramos con una serie que no corresponde exactamente a los cuatro universos descritos, aunque, adelantémoslo en seguida, están en íntima relación con la estructura de la obra entera.

Estos elementos, que también funcionan, pero que no funcionan esencialmente en relación o con los cuatro universos descritos, son de dos tipos, el primero parece arrancar de la Literatura, con mayúscula, momento cultural, cultura del autor, cultura y literatura de la época, etc.; el segundo es novela, un tipo de novela.

Vamos a llamar *Literatura* a los primeros elementos e *Historias peregrinas* a los segundos. Ambas series de elementos se imbrican perfectamente en la estructura paródica de la obra y hasta cierto punto, o en la mayoría de las veces, la complementan; otras veces, las menos, pueden llegar incluso a dificultarla (en su comprensión y en su explicación).

Antes de enumerar esas dos series de funciones, *Literatura* e *Historias peregrinas*, digamos algo sobre la estructura paródica como marco literario de... otras cosas.

Cervantes, desde su *Galatea* de 1585, está buscando la totalización, la representación más amplia posible de todo un universo; esto explica inmediatamente su temprana afición o devoción por la novela bizantina o griega, a la que volverá o a la que llegará en la madurez de su arte y de su vida. La novela bizantina se podría caracterizar por poseer un esquema novelesco capaz de abrazar el mayor número de aventuras (escenas, personajes, mundos, paisajes, etc.) posible. Una novela bizantina puede trenzar alrededor de un solo protagonista o de un par de protagonistas, la historia, siempre novelesca, de un número no limitado de personajes. En el *Persiles*, la pareja de protagonistas, Auristela y Periandro, no protagonizan exactamente ni la quinta parte de la obra, del texto; no es, pues, exacto el título, si un título debe de cantar de antemano un contenido; pero alrededor de la peregrinación de estos dos personajes flotan o fluyen los otros, las otras historias, las otras circunstancias.

Cervantes había ya abizantinado la novela pastoril en busca de la totalización en 1585, pero la novela pastoril no podía cumplir la función que le pedía Cervantes; en la novela pastoril puede también existir un número ilimitado de personajes, pero éstos han de comulgar en un universo común, casi en una ideología colectiva (que podríamos llamar neoplatónica, o amorosa, etc.). Todos los pastores de la novela pastoril se parecen, aunque psicológicamente sean diferentes, porque poseen una misma y única problemática: el amor y todos los efectos derivados del amor (fidelidad, nostalgia, celos, tristeza, esperanza, etc.). Hay, pues, en la novela pastoril, un solo y único universo de valores; el arte del novelista ha de consistir en materializar todas las variantes posibles.

La novela pastoril, como marco, no puede admitir nada que vaya en contra de su propio y único universo: la inclusión, por ejemplo, del realismo, más o menos homologable con la realidad objetiva, hace peligrar el equilibrio de la novela o la destruye. ¿Puede admitir el humorismo la novela pastoril? Creo que no, si humorismo es distanciamiento irónico; y de todas las maneras no creo haber encontrado nunca humor en este tipo de novelas, aunque puedo ser un mal testigo.

La novela bizantina, por el contrario, es un tipo de novela abierto, cada historia engarzada en la misma, puede ser distinta, no sólo diferente, sino opuesta con la anterior o con la siguiente; finalmente se trata simplemente de un personaje que cuenta su historia, lo que sea esta historia, importa menos o muy poco. En una novela bizantina, a una desgarrada historia de amor puede suceder incluso una narración cómica o humorística; el marco lo permite, la novela lo digiere y lo incluye.

La novela paródica, que no abunda, es aún más abierta, por decirlo así, que la novela bizantina, ya que permite, al nivel estructural, la existencia de diversos universos.

Pongamos un ejemplo de nuestro tiempo, y ejemplo maravilloso de novela paródica, *La saga/fuga de J. B.*; en esta obra, y para empezar, hay una duplicidad de universos, los godos viven su mundo y los naturales de Castroforte el suyo; aún hay más, los llamados godos viven un universo que intentan negar por todos los medios a su alcance, en nombre de un universo telecomandado desde fuera. La realidad objetiva no aparece por ninguna parte y cuando aparece, al final, es increíble o muy poco homologable con la realidad de todos los días. Añádase a esto el universo poético y hermético del protagonista José, añádase aún la historia amorosa entre José y Julia... y aún se podría añadir el universo contado, el que pesa en las mentes de los nuevos caballeros de la Tabla Redonda, el universo eclesiástico de Don Acisclo, etc. y etc. En esta obra, como en el *Quijote*, la abertura, la posibilidad de esta diversidad de mundos reside en la estructura paródica. Torrente Ballester, para escribir su obra, parte de una convención no explícita en el texto: va a contar la historia real de una ciudad a la que el estado central, el estado de siempre, ha negado toda historia; y la ha negado porque, en principio, esta historia es increíble, irreal; entonces el autor nos va a contar como real lo que efectivamente es irreal.

Automáticamente el juego de espejos comienza a funcionar y el lector de esta ejemplar novela no sabe muy bien dónde está la realidad, o la verdadera realidad.

La estructura paródica del *Quijote* consiste esencialmente en la narración de la historia de un caballero andante, de sus aventuras; se trata, tal es la intención explícita del autor, de poner en ridículo los libros de caballerías, a partir de un héroe ridículo, o que va a dejar en ridículo a la andante caballería. Para ello, el autor echa mano de la forma paródica, es decir, de un esquema novelesco que funciona a dos niveles o que contiene ya una doble función: la de funcionar por sí mismo, y la de funcionar con referencia a otra cosa, a otro esquema. Claro que en una parodia que llamaremos simple, el protagonista puede ajustar su conducta al modelo referido y contentarse con esta imitación, aunque en la imitación misma aparezca ya el desfase, la dimensión grotesca o ridícula buscada.

Pero la estructura paródica es abierta, puede permitir esa parodia simple que queda anotada, pero puede también permitir o inspirar o concitar, es igual, una doble dimensión: el protagonista imita ridículamente al modelo por una parte, y por otra, puede ser protagonista de su propia aventura; surge así un doble universo, una doble motivación, una duplicidad que, sin embargo, no escinde al protagonista ni a la obra.

A partir de aquí, a partir de esta doble permisión o libertad de la estructura paródica, entra ya lo que podemos considerar genio cervantino: la creación de dos nuevos universos: uno derivado del universo imitado y otro derivado de la propia aventura.

¿Se agotan aquí y así las posibilidades de la estructura paródica? De ningún modo, pues como vamos a ver, Cervantes va a utilizar también esta estructura para abizantinar su obra, y va a incluir en la misma (siguiendo en esto una moda o un gusto, del que no se libró ni la *Diana enamorada* de Montemayor) una serie de novelas, de narraciones en principio independientes de la doble, y aquí cuádruple, novela que se cuenta o narra.

Esta inclusión de novelas dentro de la obra es de dos clases: la primera consiste en injertar dentro de la narración principal otra derivada (siguiendo en esto lo mejor del modelo bizantino); la otra consiste en cortar la narración principal para embutir una novela, que nada tiene que ver con la obra que se está escribiendo (tal es el caso de la novela *El curioso impertinente*, que aparece, además, en la obra mientras Don Quijote duerme).

Aún hay abertura suficiente en la estructura paródica para nuevas inclusiones: discursos sobre diferentes materias, disquisiciones o discusiones literarias, crítica literaria de obras literarias, etc. y etc. Estas inclusiones, como es natural, no rompen la narración, sino que la realzan, adornan y complementan, pero, con todo, no son esenciales funcionalmente; o de otra manera, la estructura paródica puede seguir funcionando sin estas inclusiones (como puede seguir funcionando sin la inclusión de novelas o narraciones).

Si la estructura paródica, como creo haber explicado, es la estructura más amplia dentro del campo novelístico, no lo es únicamente por su calidad extensiva; no se trata de ninguna horizontalidad o amplitud de ámbito, sino por la posibilidad de imbricar universos diferentes, cada uno de ellos con sus leyes internas y su sistema preciso de referencias. Una larga novela de aventuras podrá ser todo lo larga que se quiera, pero siempre será la misma, amontonamiento no significa diversidad de mundos; una novela paródica, por el contrario, no funciona en relación a su extensión, sino a la duplicidad, como mínimo, de sus universos.

La estructura paródica, finalmente, es también un marco artístico, un molde literario, un procedimiento si se quiere, que funciona y que permite el funcionamiento de diferentes totalizaciones sin que éstas rompan la unidad funcional de la estructura, sin que éstas rompan la totalización organizada que constituye la obra conseguida.

1) Literatura

Veamos a continuación qué es lo que funciona como literatura, como aporte cultural, testimonio de una época y de un hombre, en la estructura paródica.

Englobo en *Literatura*, como quedó anotado, una serie de episodios que funcionan, en principio, con independencia del cuádruple mundo o de los cuatro universos de la obra, pero que, de una manera o de otra, no pueden ser completamente independientes de los mismos.

Si recordamos la rosa de los vientos que nos sirvió de símbolo para describir los cuatro universos del *Quijote*, comprobaremos en seguida que los elementos enumerados en *Literatura* se hallan en relación, las más de las veces, y de alguna manera, con I, intramundo, y con MT, mundo transformado; pero en relación, con referencia a, no significa que funcionen, estos elementos, como los universos I y MT, aunque en ocasiones sea muy fácil establecer la relación con estos mundos, y como señalaré a continuación.

Quijote de 1605

Prólogo, Dedicatoria, versos encomiásticos, etc.

Escrutinio de la librería de Don Quijote (Cap. vi) en relación con el I y el MT del protagonista; en relación también con el E, extramundo que ataca al héroe abiertamente.

Hallazgo del manuscrito de Cide Hamete (Cap. xi).

Discurso sobre la Edad de Oro (Cap. ix) en relación con el I, intramundo, del protagonista.

Discurso sobre las armas y las letras (Caps. xxxvii y xxxviii) con la misma relación que el anterior.

Conversaciones literarias entre el Cura y el Canónigo, y entre el Canónigo y Don Quijote (Caps. xlvii y siguientes). También a relacionar cuando habla Don Quijote, con su intramundo.

Quijote de 1615

Prólogo, Dedicatoria.

Sobre literatura y el primer *Don Quijote* en los primeros capítulos.

Consejos a Sancho gobernador (Caps. xlii y xliii). Algunos de estos consejos, pero sólo algunos, a relacionar con el intramundo I.

Encuentro con las tres imágenes (Cap. lviii).

Conversación con Don Juan y Don Jerónimo sobre el falso *Quijote* de Avellaneda (Cap. lix).

En la imprenta de Barcelona (Cap. lxii).

Encuentro con Don Alvaro Tarfe (Cap. lxxii).

Como verá el lector curioso, sólo he recogido aquellos momentos en que la acción se desgaja del texto, se aleja del mismo; no tenía por qué recoger aquí, por ejemplo, todos los juicios de Don Quijote a lo largo de su andadura, ya que éstos se encuentran injertos en la acción y a ella pertenecen porque con ella funcionan.

Con todo, la enumeración anterior, y todas las otras, son únicamente un esquema, y también una invitación a la discusión; la descripción precisa, la enumeración precisa, requeriría cuando menos la reproducción de muchas páginas del texto, y la discusión de muchas de ellas.

2) HISTORIAS PEREGRINAS

O novelas, narraciones, historias, incluidas en el texto, unas veces con independencia del texto principal, como ocurre en el *Quijote* de 1605, y otras como derivadas del mismo, como ocurre en el *Quijote* de 1615.

He titulado este capítulo *Historias peregrinas* porque, como sabemos, Cervantes tenía su propio ideal novelesco (ideal que no sostuvo ni siguió en su *Quijote*, ya que éste no era una novela para Cervantes). Historia peregrina viene a ser la narración de un caso extraño, contado con toda la verosimilitud posible; como dice el Canónigo en el capítulo XLVII del *Quijote* de 1605:

Hanse de cansar las fábulas mentirosas con el entendimiento de los que las leyeren, escribiéndose de suerte que facilitando los imposibles, allanando las grandezas, suspendiendo los ánimos, admiren, suspendan, alborocen y entretengan de modo que anden a un mismo paso la admiración y la alegría juntas; y todas estas cosas no podrá hacer el que huyere de la verosimilitud y de la imitación, en que consiste la perfección de lo que se escribe.

A este programa responden, creo, las historias peregrinas siguientes:

Quijote de 1605

Grisóstomo y Marcela (Caps. xii al xiv) a poner en relación con un I y un MT, que aquí serían privativos de estos dos protagonistas, aunque universos cerca del MT de la obra.

Historia o narración de las tres parejas de enamorados: Cardenio y Luscinda, Dorotea y Don Fernando, y Clara y Don Luis; la narración de estas historias

empiezan ya en el Cap. xxiii y culminan en la venta (Caps. xxxii y siguientes).
Novela del Curioso impertinente (Caps. xxxiii y siguientes).
Historia del Cautivo (Caps. xxxix y siguientes).
Historia de Leandra (Cap. li).

Quijote de 1615
Basilio el pobre, Camacho el rico y la hermosa Quiteria (Caps. xix y siguientes).
Encuentro de Sancho y Ricote (Cap. liv).
Roque Guinart, Claudia Jerónima y Vicente Torrellas (Cap. lx).
Ana Félix y Gaspar Gregorio (Caps. lxiii y lxvi).

Se ve a simple vista que Cervantes mejoró su técnica de novelista en 1615, ya que evita la inclusión de historias o las que incluye están mejor injertadas en la narración y son mucho más cortas.

Si tuviéramos que buscar una relación, que no una función, de estas historias peregrinas con los universos de la estructura paródica, podríamos decir que las historias peregrinas surgen del extramundo, sobre todo las tres parejas del *Quijote* de 1605; son historias que de una manera o de otra se enfrentan con el intramundo de Don Quijote; como sabemos, una figura como la de Dorotea protagoniza una función E-MF (I, MT) y habita un mundo fingido.

El episodio de Marcela es tan rico que continúa planteando problemas a la crítica; en cuanto a relacionarlo con la estructura paródica, es también dificultoso: parece como si Marcela y Grisóstomo poseyeran su propio intramundo. (De todas las maneras, confieso llanamente que no sé clasificar esta aventura a la hora de relacionarla con la estructura paródica, aunque estoy seguro de que no funciona en esta estructura.)

Las bodas de Camacho son ejemplo de extramundo, casi puro, casi nos encontramos ante una novela realista.

V

ESQUEMAS

> No entendían los cabreros aquella jerigonza
> de escuderos y de caballeros andantes, y no ha-
> cían otra cosa que comer y callar.

Parte I, XI.

Los gráficos que siguen no pretenden, ni mucho menos, reducir una obra como el *Quijote* a su simple representación más o menos algebraica; sería, además, vano
empeño, puesto que una tal obra necesitaría, para empezar, un álgebra nueva.

Trato simplemente de ilustrar, en el mejor sentido pe-
dagógico de la palabra, el funcionamiento de ciertas relaciones, el funcionamiento de los cuatro universos de la
estructura paródica.

Como podrá verse, prescindo en los esquemas que siguen de todo lo que rodea y complementa la estructura
paródica de los cuatro universos, y me centro o concen-
tro en los cuatro universos que funcionan en la obra.

Funciones activas de Don Quijote

Funciones activas quiere decir que la
acción arranca del mismo personaje Don
Quijote, de sus propios universos.

Activamente sabemos que Don Quijote

portador de su intramundo se enfrenta, aunque en pocas ocasiones, con el extramundo: relación o función I-E.

El mundo transformado MT, es creación del intramundo I, y es así función de I.

Este mismo mundo transformado MT (I), pero que engloba al intramundo (I), se opone activamente al mundo fingido MF, de los otros, del universo o extramundo que ha de organizar el mundo fingido para oponerse a Don Quijote. Esta función, como diré después, parece pasiva y no activa.

Finalmente habría que elucidar y describir con precisión en qué momentos se da la función IMT-E, es decir, cuándo Don Quijote, desde su mundo transformado, se opone al extramundo sin pasar por el mundo fingido. Como anoté anteriormente, creo que el mayor número de las funciones activas de Don Quijote se pueden describir como IMT-E; ya que he reservado las funciones IMT-MF para las funciones activas del extramundo E, éste se finge MF para así enfrentarse con Don Quijote.

El personaje de Don Quijote, como héroe o protagonista, desempeña, como Sancho, el coprotagonista, el mayor número de funciones activas.

Funciones pasivas de Don Quijote

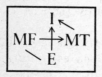

Aquí la acción no parte del personaje que intentamos describir, sino del resto de los universos. Don Quijote es atacado o asaltado por los demás, por los otros, etc., y ha de repeler la agresión o caer en la trampa de la acción.

Las funciones más numerosas, como sabemos, corresponden al extramundo E, que se transforma en mundo fingido MF, para atacar activamente a MT (I).

También, a veces, como quedó anotado, el extramundo E ataca directamente, sin pantallas, a I, al intramundo de Don Quijote.

La función MT-I intenta describir la relación que el intramundo quijotesco mantiene con los malignos encantadores o con su propio mundo transformado; Don Quijote se enfrenta con MT, puesto que lo hace él mismo, pero también es atacado por MT, por su mismo mundo transformado, cuando aparece el maligno encantador que le persigue.

Funciones activas de Sancho

Aunque parezca paradójico, Sancho desempeña más diversas funciones activas que Don Quijote; no es más activo, sino más diverso, puesto que su personalidad, como sabemos, sufre una gran transformación a lo largo de la novela. Don Quijote nace entero en el primer capítulo, Sancho se va creando, naciendo a lo largo de la obra.

Sancho es extramundo E cuando se enfrenta con su amo, con el que llega a luchar a brazo partido.

Sancho es también mundo transformado MT que se enfrenta con el universo fingido de la Insula Barataria MT-MF.

Pero Sancho es también extramundo que se finge mundo para convencer a su señor EMF-MT, y así, por ejemplo, una simple campesina del Toboso queda transformada, fingida, en Dulcinea encantada.

No hay, sin embargo, o yo no encuentro, una función que nazca en el intramundo de Sancho para crear un mundo transformado, y quizá en esto resida su gran diferencia con Don Quijote. El intramundo de Sancho es creación, hasta cierto punto, del mismo Don Quijote, por eso, supongo, carece de fuerza suficiente para organizar o engendrar su propio mundo transformado, MT.

Funciones pasivas de Sancho

Lo que he llamado funciones pasivas de Sancho son las mismas que las de Don Quijote, con una excepción que señalaré inmediatamente.

El extramundo convertido en mundo fingido MF, se enfrenta con el mundo transformado, Insula Barataria, de Sancho, y acaba con él, de la misma manera que el Bachiller Carrasco acabará con Don Quijote y su mundo transformado.

Sancho sufre también los ataques, los palos y los manteamientos del extramundo sin pantallas. A notar que el mundo fingido MF que vapulea a Don Quijote, vapulea desnudamente, sin pantallas, y al mismo tiempo, a Sancho.

En relación con las funciones pasivas de Don Quijote, hay una función que falta; al intramundo de Don Quijote, como señalé, le puede atacar su propio mundo transformado, y esto no ocurre con Sancho; supongo porque tampoco el intramundo de Sancho, que es creación de Don Quijote, tiene la suficiente fuerza como para funcionar contra el mundo transformado de Sancho; sólo tiene fuerza frente al mundo fingido o sólo opone resistencia al mundo fingido del extramundo.

Funciones del Cura, el Barbero, el Bachiller, etc.

Son funciones activas, puesto que se fingen un mundo, un universo con sus reglas, para enfrentarse al mundo transformado del héroe de la novela.

Por otra parte, son también puro extramundo que, de una manera o de otra, se activan sobre su convecino o compatriota Alonso Quijano.

Se podría señalar una excepción en el Bachiller Sansón Carrasco, ya que convertido en mundo fingido (Caballero de los Espejos o del Bosque) cae derrotado ante el mundo transformado de Don Quijote; pero claro es que caer derrotado no es acción pasiva; recordemos que la función activa describe o señala el universo del que parte la acción, sin entrar en línea de cuenta el resultado de la acción misma.

Con todo hay que decir, porque falta en el gráfico, que el Bachiller fingido como Caballero de la Blanca Luna, al derrotar a Don Quijote en Barcelona, no sólo acaba con el mundo transformado MT del héroe, sino que llega hasta el mismo intramundo de Don Quijote I, puesto que finalmente el héroe también morirá de melancolía.

Función de los Duques

Donde pongo Duques es claro que podía haber puesto a unos cuantos personajes más, pero los Duques son los que, en definitiva, convierten en sistemático el mundo fingido, y por eso son ejemplares.

Es una función simple, nada complicada, como puede verse; se trata simplemente, siguiendo las huellas de la burla más tradicional, de armar la tramoya del engaño, de fingir para engañar, sin que en este engaño encuentre yo ningún deseo de mejorar a Don Quijote, como en el caso del universo fingido de los compatriotas de Alonso Quijano, ni tampoco de destruirlo. Es quizá una función gratuita, de puro divertimento, que convierten a Don Quijote y a Sancho en dos personajes pasivos.

Un ejemplo de doble función: la aventura
del cuerpo muerto

En el gráfico intento representar dos funciones, una activa y otra pasiva, del protagonista.

La función activa corresponde al encuentro de Don Quijote con el cuerpo muerto, su ataque y la pierna rota del Bachiller Alonso López.

La función pasiva parte del Bachiller Alonso López, que le «explica» a Don Quijote la objetividad del extramundo; con esta nueva función, la anterior, IMT-E, queda desvalorada, falseada, aunque no por ello deje de existir; y pongo para función pasiva E-I y no E-MTI, porque, como sabemos, el mundo transformado de Don Quijote queda intacto.

VI

EL QUIJOTE, NOVELA COMICA

Las tristezas no se hicieron para las bestias,
sino para los hombres; pero si los hombres las
sienten demasiado, se vuelven bestias.

Parte II, XI.

No hay por qué subrayar aquí que el lector se ríe con
el *Quijote*, y sobre todo que se rió en el momento de su
aparición; el carácter burlesco de la obra, el carácter sa-
tírico también, fueron rápidamente captados por los lectores, aun por los más populares o sin mucha preparación,
digamos, cultural. Y pasaría mucho tiempo hasta que se
comprendiese que esta comicidad era también humorismo.

Una de las razones, quizá la principal, del éxito fulmi-
nante de la novela en el primer siglo de su vida fue exactamente su gran fuerza cómica; más tarde, pero mucho
más tarde, se comprendería también su tristeza. («Es
la más triste de todas las historias, y es aún más triste porque nos hace sonreír», escribiría Byron.)

Si lo cómico, en una primera acepción, es lo inesperado, lo que hace reír o sonreír por su fuerza sorpresiva, el
Quijote es una novela cómica por la inesperada originalidad de su estructura paródica; toda parodia, al acentuar
los contrastes, al subrayar los defectos, hace reír; el mo-

delo parodiado se ofrece así desde otro ángulo que por lo inesperado, produce imparablemente la sonrisa.

La comicidad del *Quijote* puede ser observada a través de su estructura y a través de su lenguaje. Cervantes no solamente inventa situaciones cómicas (estructura), sino que también emplea el lenguaje cómicamente.

El texto de la novela se organiza cómicamente en una serie de estructuras burlescas o cómica que, sin ningún ánimo exhaustivo, y sin ningún orden jerárquico, podríamos enumerar de la siguiente manera:

a) *Construcción de situaciones cómicas puras:* encuentros, equivocaciones, etc.; situaciones, en una palabra, de larga tradición literaria y cuyo ejemplo más acabado lo tenemos en los sucesos de la venta del capítulo XVI de la Primera Parte («De lo que sucedió al ingenioso hidalgo en la venta que él imaginaba castillo»). Cervantes explota aquí lo que podríamos llamar una situación cómica pura (y lo mismo hará en la misma venta en el capítulo XLIV de la misma parte).

b) *Reproducción de aventuras caballerescas bien tipificadas con sentido burlesco:* esta comicidad deriva en línea recta de la estructura paródica de la obra entera; el autor reproduce una aventura que todos los lectores conocen, pero la sitúa a otro nivel, la desenmarca para hacer reír. Recordemos la burlesca vela de armas, la ceremonia de ser armado caballero y la penitencia en Sierra Morena de la Primera Parte; y una cualquiera de las aventuras preparadas por los Duques en la Segunda Parte. En todos estos ejemplos, el texto finge seguir los modelos caballerescos para mejor burlarse de ellos.

c) *Reproducción de una aventura caballeresca bien tipificada, e introducción en la misma de un detalle discordante que la desautoriza y destruye:* ¿cuántas veces en el texto Sancho reclama dinero a su señor, destrozando así una relación conocida entre caballero y escudero? Pero el ejemplo más acabado lo tenemos en el capítulo L de la Primera Parte: Don Quijote describe con todas las reglas del arte una aventura caballeresca; de momento no hay ninguna variación entre lo que cuenta y el modelo a que se refiere, pero de repente, al final, introduce una frase, un detalle:

...¿Y después de la comida acabada y las mesas alzadas, quedarse el caballero recostado sobre la silla, y quizás mondándose los dientes, como es costumbre, entrar a deshora por la puerta de la sala otra más hermosa doncella que ninguna...

Naturalmente, en ningún libro de caballerías hay un detalle tan realista como el mondarse los dientes, y en la inclusión de este detalle, reside la comicidad del texto.

d) *Utilización de cuentos, chistes, anécdotas, etc.:* Cervantes echa mano de la tradición folklórica, e introduce en su texto historias e historietas de seguro efecto cómico; por ejemplo, el cuento de las cabras que pasaban por el puente del capítulo XX; el cuento de la viuda y del mozo lerdo del capítulo XXV, en la Primera Parte; en la Segunda, y siempre como ejemplo: los dos cuentos de locos del prólogo, el cuento de los regidores y el rebuzno del capítulo XXV y, sobre todo, los cuentos utilizados en la narración del gobierno de la ínsula por Sancho, capítulos XLV, XLIX y LI.

Se trata de un recurso literario tradicional, y el arte del autor consiste en la inserción de la anécdota y en el estilo o gracia para contarla de nuevo.

e) *Alusiones a personajes o circunstancias de la época:* la inclusión en el texto de una burla a alguien o algo conocido por el lector de la época hubo de producir un efecto cómico; desgraciadamente, una buena parte de estas alusiones se han perdido para nosotros, y sólo por nota el comentador intenta reintroducir al lector moderno en la piel del regocijado lector de la época.

Pero no basta para comprender la comicidad de la novela la sin duda incompleta enumeración que precede, hay que tener en cuenta la utilización cómica del lenguaje por parte del autor.

Hoy contamos ya con excelentes estudios sobre la lengua de Cervantes (sobre todo los libros de Helmut Hatzfeld y Angel Rosenblat), sin embargo, falta o no tengo noticia de un estudio sobre la sistemática cómica del lenguaje, sistemática utilizada por Cervantes en numerosísimos pasajes de su libro.

Esta utilización cómica del lenguaje viene a ser, así, la materialización textual de esa estructura cómica que intenté describir más arriba; el artista, por ejemplo, no solamente inventa una situación cómica, sino que también la describe cómicamente o hace hablar cómicamente a los protagonistas de la situación.

Tampoco puedo enumerar aquí todos los «casos» en los que el lenguaje es utilizado cómicamente; me limitaré a señalar algunos:

a) *Empleo disparatado o inesperado de expresiones proverbiales, tópicos, refranes, etc.:* desde jugar con el vocablo y hacer juegos de palabras, hasta el empleo intempestivo de fórmulas jurídicas o legales, pasando por el consciente y muy intencionado trastrueque de un refrán, el autor emplea todos los medios que tiene a su alcance para jugar cómicamente con el idioma heredado. A notar que esta utilización de frases conocidas también le sirve al autor para caracterizar a los personajes, sobre todo a Sancho, que merece un tratamiento especial con sus prevaricaciones, o Don Quijote con sus anacronismos.

b) *Prevaricaciones de Sancho:* el autor juega a que Sancho se equivoque, a que prevarique, a que no diga nada a derechas, buscando así un seguro efecto cómico que aún se practica en nuestros teatros. Hay ocasiones, sin embargo, en que la prevaricación puede venir del mismo Sancho, es decir, que la prevaricación tiene otra intención que la simplemente cómica.

c) *Anacronismos de Don Quijote:* el empleo de anacronismos en boca de Don Quijote no es solamente un sistema de comicidad, sino que deriva en línea recta de los libros de caballerías, cuyo altisonante lenguaje intenta imitar el protagonista; pero el resultado sigue siendo cómico: el lector se ve asaltado de repente por un nuevo estilo o lenguaje. (A notar que el empleo de anacronismos por Don Quijote desaparece virtualmente en la Segunda Parte.)

d) *Empleo de epítetos o de adjetivos cómicos o creación de los mismos:* Cervantes escoge a veces el adjetivo que puede hacer reír, sobre todo a la hora de los insultos o baldones.

Pero para qué seguir..., basta repasar, por ejemplo, lo que el ya citado Angel Rosenblat entiende por lenguaje literario de Cervantes (el tópico o lugar común, las comparaciones, las metáforas, las antítesis, sinónimos voluntarios, repeticiones deliberadas, juego con la elipsis, el juego de palabras, juego con los nombres, juego con la forma gramatical, juego con distintos niveles del habla, y la paranomasia, la aliteración y la rima) para comprender que todos estos juegos, que todas estas figuras retóricas, y la mayor parte de las veces, han sido empleados con intención cómica.

VII

EL QUIJOTE, NOVELA IRONICA

—Sin duda este tu amo, Sancho amigo, debe de ser un loco.

—¿Cómo debe? —respondió Sancho—. No debe nada a nadie; que todo lo paga, y más, cuando la moneda es locura.

Parte II, LXVI.

La ironía en el *Quijote* no es solamente un procedimiento narrativo, al que me referiré después, sino un estilo, una personalidad, un hombre. Cervantes es la ironía hecha estilo porque su propia vida le ha enseñado a manejarla, esto es, a decir lo contrario de lo que dice, en plena fiesta y aparente confusión paradójica. No podía hacer otra cosa un hombre que no estaba de acuerdo con el mundo en que vivía, no podía hacer de otra manera un hombre que disentía con las ideas comunes, con los símbolos aclamados, con la moda y los gustos admitidos. Y no podía hacer de otra manera porque Cervantes no quiere romper nunca con el mundo del que disiente, del que se encuentra alejado. La ironía es, así, el único procedimiento, espiritual y narrativo, para alejarse de lo que está disconforme, y para unirse también.

Decir ahora que este modo de ver y de ser irónico es un simple procedimiento narrativo carecería de sentido, ya que la explicación del mismo no se encuentra en el texto, sino en el genio de Cervantes.

Por eso me voy a referir aquí a otro aspecto de la ironía, al que se encuentra materializado en la obra, al que se funde con la estructura paródica o deriva de ella, para constituirse en estructura narrativa.

Definamos rápidamente —en el campo de la materialización narrativa— la ironía, tan difícil de discernir, como un distanciamiento crítico: el autor se distancia de lo que escribe y logra así una nueva extensión, una nueva realidad; este distanciamiento, como es lógico, le permite incluso el empleo de nuevos juicios de valor, y así, el texto tiende a abrirse en planos, en extensiones diferentes; existe lo que se dice hoy, perspectivismo.

Pero el perspectivismo describiría, en todo caso, el resultado de diversas perspectivas, y lo que me interesa ahora es comprender cómo a partir de un texto materializado nacen las diversas perspectivas, los nuevos puntos de vista, etc.

Como sabe cualquier lector del *Quijote*, en el texto hay constantes alusiones a un autor, a varios autores, a un Cide Hamete Benengeli, a un traductor, etc., todos estos presuntos «narradores» enmascaran la presencia de un narrador tanto más omnipresente cuanto más invisible.

Cervantes, siempre a partir de la estructura paródica, ha imitado ciertos procedimientos narrativos de los libros de caballerías; en estos libros suele aparecer un sabio griego o un sabio encantador, sin nacionalidad definida, que dice escribir la historia, la crónica; cada caballero, en principio, tiene así su historiador al que se referirá el autor del libro, sosteniendo, por ejemplo, que se ha encontrado la historia encerrada en un arca, y que la escribió tal o cual sabio, Fristón.

El autor de libros de caballerías se autoriza así, pasando a los ojos del lector como un fiel copista de otro autor, del verdadero autor. El desdoblamiento entre narrador, autor, e historiador-autor supuesto de la historia, existía ya en los libros de caballerías.

Cervantes comienza por emplear el mismo procedimiento, por copiar incluso muchas de las fórmulas narrativas de estos libros: *cuenta la historia, dice la crónica,* etcétera, pero bien pronto va a profundizar y a inaugurar en esta dirección.

El *Quijote* comienza sencillamente con la presencia de un narrador que se confunde con el autor:

En un lugar de la Mancha, de cuyo nombre no quiero acordarme...

El sujeto de este *no quiero* es en principio, y al principio, un autor-narrador omnipresente; sin embargo, unas líneas más abajo, y siempre en el primer capítulo de la obra, nos encontramos:

Quieren decir que tenía el sobrenombre de Quijada, o Quesada, que en esto hay alguna diferencia en los autores que deste caso escriben.

El autor-narrador que hablaba en primera persona, se ha desdoblado o triplicado, no sabemos; lo único cierto es que el lector se encuentra ya con una alusión nueva, con una nueva dimensión y una nueva perspectiva: el narrador, el que escribe, habla de autores y se presenta así como narrador. Hay ya, y estamos en las primeras líneas de la obra, una distanciación entre narrador y supuestos autores.

A notar inmediatamente, que en esta distanciación se ha introducido el humorismo o la pura ironía, ya que el narrador admite la posibilidad de diferentes nombres, con lo que en lugar de afirmar lo que narra, lo pone en duda. (Para colmo de ironía, el lector de la obra sabrá al final de la misma que el verdadero nombre del héroe no corresponde con ninguno de los avanzados o propuestos.)

La presencia del narrador se confirma, de una manera rotunda y desde luego muy novelesca —pues el cortar el hilo de la historia era recurso literario tradicional—, al final del capítulo VIII de esta Primera Parte; estamos en plena batalla entre Don Quijote y el Vizcaíno, y:

Pero está el daño de todo esto en que en este punto y término deja pendiente el autor desta historia esta batalla, disculpándose que no halló más escrito destas hazañas de Don Quijote, de las que deja referidas. Bien es verdad que el segundo autor desta obra no quiso creer que tan curiosa historia estuviese entregada a las leyes del olvido...

Pasemos por alto, en esta consciente ceremonia de la confusión, el que el narrador no transcribe las disculpas del presente autor, y dice únicamente que se disculpó, *disculpándose*, y convengamos que aquí hay dos autores, el primero que escribe la historia y un segundo que decide continuarla; este segundo autor, y siempre en principio, parece ser el propio Cervantes, ya que en el capítulo IX aparece el empleo de la primera persona:

Causóme esto mucha pesadumbre... Parecióme..., etc.

Sigue el texto contándonos el hallazgo del texto del que es autor Cide Hamete Benengeli, pero el texto está en arábigo y el que cuenta, seguramente Cervantes, ha de encontrar un morisco para que se lo traduzca. Con la traducción hecha, la obra puede continuar, pero el que habla en primera persona pone en guardia al lector contra los posibles errores del autor, ya que es galgo, es decir, perro; es decir, moro o musulmán.

Pasemos por alto, de nuevo, la circunstancia originalísima, de que el texto cuente su propia historia, de que el texto sea así una historia del texto, y fijémonos solamente en el hecho de que Cervantes ha problematizado, esto es, novelado, un simple procedimiento narrativo que venía de los libros de caballerías.

A partir de esta superficial ruptura, la obra abunda en alusiones a Cide Hamete Benengeli: *Cuenta el sabio Cide Hamete Benengeli*, etc.; hasta 28 veces está citado su nombre en el *Quijote*, pero también habrá que recordar que, en ocasiones, un presunto narrador pone en guardia al lector contra el mismo Cide Hamete citado, recordándole al lector que Cide Hamete es moro, es decir, que miente.

Como podemos comprobar ya, Cervantes, a vueltas con un procedimiento narrativo de los libros de caballerías, o simplemente a vueltas con ciertas fórmulas narrativas heredadas, consigue nuevos planos narrativos, nuevas perspectivas, nuevas dimensiones.

Si intentáramos ahora una enumeración de los que hablan, cuentan o narran en el texto, nos encontraríamos:

a) Con un autor que puede desdoblarse en autores, entre los cuales Benengeli parece ser el principal.

b) Con un traductor que ha podido distanciarse ya del texto de un autor, de varios autores, ya del texto de Benengeli.

c) Con Cervantes, que inevitablemente se introduce en su obra y habla en primera persona.

d) Con los actantes, protagonistas o no, que hablan y cuentan, haciendo así avanzar la historia.

c) Con un narrador que, en principio, ha de unificar todo lo que antecede.

Tal es, en resumen, el irónico juego de espejos que ha construido Cervantes a partir, como vimos, de una simple imitación paródica de ciertos modos narrativos de los libros de caballerías.

Pero una vez más, nada es tan simple, porque si nos fijamos en la enumeración, nos daremos cuenta inmediatamente que autor, autores, traductor y Cervantes no están nunca claramente diferenciados, lo que quiere decir, o podría querer decir, que el trabajo irónico del omnipresente narrador consiste precisamente en confundirlos y equivocarlos. El narrador invisible sería así el verdadero maestre de ceremonias, el organizador del juego de los espejos.

Sin embargo, en principio, quedarían fuera de este juego y de este ceremonial los actantes, los protagonistas; éstos, siempre en principio, no pueden ser confundidos por el narrador, pero...

Pero ocurre que ciertos actantes, Don Quijote y Sancho precisamente, se desdoblan también, ya que se toman por entes de ficción dentro de la ficción misma, adelantándose así, en siglos, a los juegos escénicos de un Pirandello.

Este desdoblamiento de los protagonistas, esta nueva identidad, tiene lugar sobre todo en el *Quijote* de 1615, aunque se podrían encontrar antecedentes en el de 1605.

Ante todo sabemos que el *Quijote* de 1615 se apoya en el de 1605, es decir, que dentro del texto de una obra se incorpora una parte del texto mismo.

La irrupción y la nueva dimensión aparece ya en el capítulo III de esta Segunda Parte, cuando dice Sancho:

... anoche llegó el hijo de Bartolomé Carrasco, que viene de estudiar de Salamanca, hecho Bachiller, y yéndole yo a dar la bienvenida, me dijo que andaba ya en libros la historia de vuestra merced, con nombre de *El Ingenioso Hidalgo Don Quijote de la Mancha;* y dice que me mientan a mí en ella con mi mesmo nombre de Sancho Panza...

Un poco más tarde, es decir, unas cuantas líneas más abajo, el Bachiller Carrasco:

—Bien haya Cide Hamete Benengeli, que la historia de vuestras grandezas dejó escrita, y rebién haya el curioso que tuvo cuidado de hacerlas traducir de arábigo en nuestro vulgar castellano, para universal entretenimiento de las gentes.

Sigue el texto hablando de esta historia impresa, y este texto no puede ser, como es natural, traducción del texto de Benengeli, ya que expresamente a él se refiere, pero lo que nos importa es subrayar que, a partir de ahora, tanto Don Quijote como Sancho se referirán a sí mismos como personajes literarios, *también* como personajes literarios o entes de ficción.

Cierta crítica hace coincidir la redacción del capítulo LIX de la Segunda Parte, o *Quijote* de 1615, con la aparición del falso *Quijote* de Avellaneda; el hecho puede ser cierto, lo que importa es comprobar, una vez más, cómo Cervantes se sirve de esta circunstancia para novelar; o de otra manera, cómo convierte en sustancia novelesca la aparición del falso *Quijote*. En este capítulo, como se recordará, Don Quijote y Sancho discuten con Don Jerónimo y Don Juan sobre su personalidad literaria, discuten o discurren sobre sus entidades literarias.

Nada es, pues, tan simple en este juego de perspectivas cervantinas, puesto que hasta la simple enumeración que hemos construido se nos aparece ya como incompleta, y no por la simplicidad de la misma, sino, como queda escrito, por el especial cuidado que tiene Cervantes de confundir las perspectivas y de introducir la obra en la obra misma.

El desdoblamiento narrativo, que es más que un desdoblamiento, como hemos podido comprobar, le permite a Cervantes conseguir constantemente ese distanciamiento crítico entre él y la obra que está escribiendo, le permite también, o al mismo tiempo, el sublime juego irónico de juzgarla, ensalzándola o rebajándola, corrigiéndola también (Cervantes inventa la autocrítica cuando juzga el *Quijote* de 1605 en los capítulos II y III del *Quijote* de 1615).

La alusión a un supuesto autor o a unos supuestos autores, fórmula común de los libros de caballerías, se sublima bien pronto con la creación del historiador arábigo Cide Hamete Benengeli; entonces se multiplican las alusiones a Benengeli, pero el lector está ya avisado de que nos encontramos ante una traducción, y que el traductor hubo de equivocarse más de una vez; el lector sabe también, y el texto lo dice, que Benengeli era árabe y que, por tanto, podía mentir... Cervantes se preocupa constantemente de hacer dudar al lector, de distanciarle también de lo que está leyendo.

Finalmente tendremos que convenir que solamente puede haber un único narrador que está presente en todas las páginas del texto, ya que el texto existe y que somos lógicos, pero ¿quién es este narrador?

El hilo narrativo del *Quijote* se podría resumir así: un narrador narra lo que un traductor traduce de una historia escrita, entre otros, por un cierto Cide Hamete Benengeli; lo que no impide el que, alguna vez, Cervantes hable en primera persona; Cervantes hable de Cervantes en tercera persona; el que los protagonistas hablen de ellos en primera persona o hablen de ellos en tercera persona; y lo que no impide finalmente, y al final de la obra, el que Hamete hable en primera persona o que su pluma se eche a hablar.

> Para mí sola nació Don Quijote y yo para él; él supo obrar y yo escribir; solos los dos somos para en uno...

El lector puede creer que por fin ha llegado a topar con la verdadera identidad del narrador, éste no es otro que una triple identidad narrador-Cervantes-Cide Hamete Benengeli, pero tampoco es seguro, ya que el texto, una vez más, se preocupa, ahora, de distanciar la pluma del héroe: *él supo obrar y yo escribir.*

Parece como si Cervantes ha jugado tanto con los espejos que se ha perdido entre ellos, pero tampoco es así, Cervantes ha multiplicado los distanciamientos y las perspectivas, y ha intentado que no hubiera un solo punto de vista; ha intentado acabar con la idea de un solo y único omnisciente narrador, por eso la impresión final es la de una galería de espejos que se envían y reenvían imágenes.

La invención del perspectivismo, la invención de la distanciación irónica, la invención del doble, triple, etc., punto de vista que tanto había de influir en la novelística mundial, viene, como he creído apuntar más que demostrar, de la utilización radical y nueva de unas sencillas fórmulas narrativas. La estructura paródica, omnipresente, permitió a Cervantes esta utilización y la explotación o profundización de esta utilización hasta llegar a nuevos límites.

La dimensión irónica conseguida por Cervantes a partir de la estructura paródica de toda la obra tiene dos consecuencias o dos resultados de gran porvenir en la historia literaria; por un lado, Cervantes consigue lo que se llamará más tarde humor; y por otro lado, Cervantes plantea por primera vez las relaciones, siempre problemáticas, entre autor y obra.

Sólo el distanciamiento irónico puede engendrar humorismo, sólo el distanciamiento irónico puede producir crítica. Humorismo existía ya en la novela española, humor distanciado y malintencionado lo podemos encontrar en el *Lazarillo de Tormes* de 1554, pero humor completo, malintencionado o compasivo, agridulce o festivo, elegante o vulgar, complicado o simple, crítico o lúdico, etc., es la primera vez que aparece en la novela.

Este humor, no hay por qué decirlo, no tiene nada que ver con la fuerza cómica del texto que está basada en situaciones, en utilizaciones, y sobre todo en el lenguaje.

El humor cervantino está basado en la distanciación irónica, y la distanciación ha comenzado por ser un simple juego paródico de las fórmulas narrativas de los libros de caballerías.

Por otra parte, como queda apuntado, la dimensión irónica plantea por primera vez las relaciones entre autor y obra, entre autor y literatura, entre personaje y autor, etc., propugnando así nuevos cauces literarios y críticos; por no decir que engendrará, con el tiempo, escuelas y teorías.

VIII

LA ESTRUCTURA PARODICA DEL QUIJOTE

—¡Milagro, milagro!
Pero Basilio replicó:
—¡No milagro, milagro, sino industria, industria!

Parte II, XXI.

He basado todo el estudio o meditación que precede en el texto de una novela que llamamos el *Quijote*, procurando salirme muy pocas veces del mismo. He partido quizá de una hipótesis gratuita: el *Quijote* posee una estructura paródica, y a partir de esta hipótesis he intentado describir un funcionamiento.

La obra de Cervantes no suele clasificarse, quizá porque sea difícil de encajarla en alguna de las tendencias o clases de novelas admitidas y aun celebradas, por las historias literarias; quizá, también, porque pertenezca a un género o subgénero novelesco, que no abunda.

La parodia, procedimiento o género literario, está repertoriada desde los griegos (desde la *Batracomiomaquia* o, quizá, desde los escritos de Luciano); en la Edad Media, la parodia tiende a transformarse en burla, sátira, etc,. falta ese especial distanciamiento entre parodia y objeto parodiado, falta quizá un modelo; en el Renacimiento, sobre todo en Italia, aparecen los poemas caballerescos que podríamos considerar, con muchas reticencias, paródicos (Pulci, sobre todo), pero ¿y en España?

Falta, o yo no conozco, una historia de la parodia, género literario, en España, ¿porque faltan obras de esta tendencia? ¿Porque aún no se distingue bien entre lo que es parodia y lo que no lo es? Sea como fuere, lo primero que salta a los ojos es la aparente soledad y aislamiento del *Quijote*, novela, en principio y según los manuales literarios, inclasificable.

Sin embargo, el *Quijote*, aunque sea una de las mayores novelas del mundo, o la mejor de todas ellas, no puede estar sólo como objeto literario, ha de tener antecedentes, ha de haber nacido al socaire de un terreno formal, por decirlo así, que ya existía o que se estaba formando.

Quizá una de las dificultades que encuentra el crítico para clasificar el *Quijote* reside en su carácter de novela; ya que parodias, y puras parodias, existen en esta época, en lo que llamamos campo de la lírica (sólo hay que recordar algunos romances de Góngora), de la misma manera, y por lo menos en Italia, la parodia parece florecer en la forma poema, pero ¿y en novela?

¿Hay alguna posibilidad de enjuiciar el *Lazarillo*, por ejemplo, como la parodia de una novela? No, si efectivamente la parodia necesita un objeto parodiado; quizá sí, si de lo que se trata es simplemente de dar la vuelta a un modo de ver o de hacer.

Episodios burlescos los podemos encontrar en prosa, en los cuentos, en las misceláneas, etc., pero ¿son parodias?

Cervantes parece ser el primero en llevar la parodia al campo novelesco, de ahí las dificultades que encontramos para clasificar su obra; y de su falta de clasificación ha de venir la falta de estudios sobre el funcionamiento de la obra.

Si el *Quijote* funciona paródicamente, si su estructura es eminentemente paródica, no hay duda de que nos encontramos ante una obra paródica.

Ahora habría que añadir que el *Quijote* es mucho más que una novela paródica, pero este *mucho más* no afecta para nada la estructura paródica de la obra. Cervantes ha encontrado o utilizado una estructura formal, que le permite decir ese mucho más al que nos referimos; y quizá solamente la estructura paródica le ha permitido decir ese mucho más.

Y esto parece ser así, ya que Cervantes no es autor de una sola novela, y sigue siendo Cervantes cuando escribe la *Galatea*, las *Novelas* y el *Persiles*.

Sabemos también, según el orden cronológico de su producción novelesca sobre todo, que Cervantes utilizó la estructura paródica ocasionalmente, que su ambición literaria se cifraba en lo que llamamos novela bizantina o griega, y no en la novela paródica.

Dije en la *Introducción* que todos los caminos llevan a Roma, refiriéndome ya a que si logramos desentrañar la estructura de una obra como el *Quijote*, lograremos, siempre hasta cierto punto, comprender, y hasta explicar, lo que se llama «contenido»; y esto es así porque estamos habituados a pensar taxonómicamente, porque, en principio, necesitamos siempre de situaciones, compartimentos, etcétera, donde colocar o situar nuestros conocimientos, única manera que conocemos, legítima o no, de seguir avanzando y progresando.

Lograr descubrir la estructura paródica del *Quijote* significa, ante todo, encontrar la coherencia de la obra, explicar sus aparenciales contradicciones, lograr precisamente que estas contradicciones se conjuguen entre sí para alcanzar la armonía, el todo coherente al que aspiramos y que creemos que, efectivamente, se encuentra en la obra.

En el estado actual de nuestro estudio, podríamos avanzar, ya que la estructura paródica de la novela es la estructura formal que permite la mayor complejidad comprehensiva; la única, además, y siempre hasta ahora, capaz de abarcar un sinnúmero de relaciones, de materializarlas, de relacionarlas entre sí, etc.

Esta gran complejidad que nos descubre la descubierta estructura paródica del *Quijote* no nos da, ni mucho menos, la demostración de su coherencia; tendríamos que afinar nuestro método, tendríamos que medir con mayor precisión el funcionamiento de todo lo que ocurre, funciona, se relaciona, etc., en ese marco, porque también es marco, que llamamos estructura paródica.

Sabemos, sin embargo, que el *Quijote* es una estructura no solamente paródica, sino coherente, que todo se ha organizado de tal manera que funciona con la mayor perfección o precisión posible, pero, como dije, se necesitaría demostrarlo.

Quizá un buen camino para lograrlo consistiría en señalar o descubrir los diferentes grados de funcionamiento de los diversos universos que comprende la obra: sabemos, por ejemplo, que lo que he llamado *mundo fingido* funciona con mayor extensión o fuerza (pero la fuerza produce la extensión, medible en páginas) en la Segunda Parte de la obra; por el contrario, el *mundo transformado* del héroe posee más fuerza en la Primera Parte, etc. ¿Podríamos, a partir de aquí, medir la coherencia de la obra?

De la misma manera, habría que medir lo que he llamado *Literatura* e *Historias peregrinas;* medir, para saber si su inclusión, y desde luego su extensión, ocasiona alguna fisura en la estructura paródica de la novela.

Porque, hora es ya de decirlo, la única manera de medir la coherencia de una obra, y ya que no existe la coherencia absoluta, es medir las posibles incoherencias de la misma.

La complejidad, la presente complejidad de la estructura paródica del *Quijote*, necesitará siempre un estudio global, o al menos un punto de partida global; no quiero criticar aquí los diferentes estudios, llamémosles particularistas, del *Quijote*, la puesta en claro de tal o cual aspecto; todos estos estudios serán válidos siempre que respondan a una visión global de la obra, siempre que puedan ser insertados en una panorámica general y total de la obra; si no es así, pueden significar más una evasión, o un despiste, que un estudio, que una simple cala.

Podríamos concluir lo que antecede diciendo que a mayor complejidad de una obra, se necesita una mayor visión global de la misma.

Y esta falta de visión global, o de hipótesis de partida global si se quiere, explicaría, para empezar, la diversidad de interpretaciones históricas que ha tenido la obra; cada grupo social, cada momento histórico o social, interpreta la obra con arreglo a su visión generalmente particularista del mundo y de la obra, y olvida la necesidad de esa crítica total.

Encontrar la coherencia del *Quijote* puede significar también encontrar su significación, pero ésta no llegará nunca a partir de una serie de observaciones más o menos agudas, sobre una parte o varias partes de la obra; el *Quijote* ha de ser tomado entero, observado y estudiado en su totalidad, y a partir, como es lógico, de la estructura interna de la obra, ya que ésta, y solamente ésta, engloba, y así explica, la totalidad de la obra.

Si la estructura interna del *Quijote* es la paródica, solamente a partir de la parodia, de su organización y funcionamiento, podremos avanzar, comprender y explicar.

Creo haber demostrado, al menos, que la estructura paródica es la estructura más compleja que pueda existir en el campo de la novela; y es la más compleja porque, como vimos, solamente esta estructura permite un máximum de extensión y de inclusión: puede extenderse *ab libitum*, no conocemos sus límites, y puede incluir una serie de estructuras, universos, etc., sin que esta inclusión rompa o ponga en peligro la matriz, la estructura madre, la estructura paródica.

Como vimos también, el *Quijote* no solamente es una estructura paródica que comprende cuatro universos bien diferenciados y dos tipos, por lo menos, de narración más o menos literaria (lo que he llamado *Literatura e Historias peregrinas*), sino también una novela cómica y una irónica.

¿Podríamos sostener que la estructura paródica siempre implícita se materializa palpable, visible, legible, en sustancia narrativa cómica e irónica? Podríamos llegar así a sostener que lo cómico y lo irónico son la materialización de lo paródico; conclusión que me parece exagerada o demasiado mecánica. Puede comprenderse, por ejemplo, y muy fácilmente, que toda parodia sea cómica, pero no está claro que tenga que ser irónica (un Tartarín de Tarascón es burlesco, cómico, pero no logra ser irónico).

Y en cuanto a la supuesta obligatoriedad de la comicidad en toda parodia, habrá que observar que esta comicidad puede venir, y esto sí parece obligado, de las situaciones cómicas (obligadas, ya que existe parodia y objeto parodiado), pero no tiene por qué venir, o no aparecer como obligado, del lenguaje de la obra paródica.

En cuanto a la ironía, ya está dicho que tampoco parece obligatoria en una estructura paródica.

Llegamos así a desentrañar un principio de ese *mucho más* que es el *Quijote* como obra paródica. Pero claro es que queda aún mucho más en ese *mucho más*, en lo que no vamos a entrar (me refiero a todo lo que se entiende por mensaje, significación, valores, etc., de la obra).

La estructura paródica del *Quijote* no es, pues, su estructura cómica ni su estructura irónica, y por eso he separado de mis reflexiones lo que entiendo por estructura paródica y esas dos estructuras narrativas, tan ligadas con la paródica, que he titulado —porque no sabía cómo hacerlo— «El *Quijote*, novela cómica» y «El *Quijote*, novela irónica».

Detengámonos, pues, haciéndonos toda la fuerza del mundo, en esa pura y estricta estructura paródica, verdadera esencia del *Quijote*.

Si quisiéramos definir esta estructura, y qué menos que empezar o terminar con una definición, sólo podríamos decir, para empezar, que la estructura paródica es el funcionamiento de una parodia, o que la parodia es estructura paródica cuando funciona, funcionalmente, operativamente, en marcha, etc.

Podemos también añadir que en toda parodia hay parodia y objeto parodiado (aunque éste pueda estar materializado o solamente implícito, aludido). Tendremos ya, por lo menos, un doble plano, un doble universo (el parodiado y la parodia misma), lo que puede servirnos ya para hablar de complejidad narrativa; y esta complejidad narrativa, en el campo de la novela, puede servirnos, también ya, para diferenciar, clasificar, en suma, una novela paródica de otra que no lo es.

Una novela paródica posee, como mínimo, un universo más que la novela no paródica, que la otra: el universo del objeto parodiado; la novela paródica funciona no solamente en relación a su propio universo materializado, sino en relación a otra cosa que puede estar o no en la novela, materializada en la novela.

Estructuralmente, en el sentido técnico de la palabra, la novela paródica se nos aparece así como una novela con más posibilidades, con más amplitud, que la otra novela, la no paródica. Esto no quiere decir, naturalmente, que una novela paródica sea más rica, más significante, que otra no paródica; quiere decir, simplemente, que técnicamente esta estructura, en manos de un buen autor, puede ir incluso más allá, enriquecerse, significarse aún más.

Y esto es lo que ocurre con una estructura paródica, cuando cae en manos de un hombre como Cervantes; con un hombre capaz incluso de innovar la propia estructura que maneja. Nuestro autor se encontró, sin duda, con «más» libertad a la hora de escribir el *Quijote* que a la hora de escribir el *Persiles*, por ejemplo; esta libertad se refleja incluso en el estilo: perfecto, terso, completo en el *Persiles*; suelto, descuidado a ratos, en el *Quijote*. Pero es claro que lo importante, aquí, no es exactamente el estilo, la perfección o el mayor o menos grado de perfección conseguida. Cervantes, que persigue la idea de la novela marco, de la novela-universo, está muy bien preparado para la utilización de la estructura paródica; aún más, consciente de que no hace una novela o una obra «seria», como testimonia en su *Viaje del Parnaso*:

> Yo he dado en *Don Quijote* pasatiempo
> al pecho melancólico y mohíno
> en cualquier sazón, en todo tiempo.

Se entrega libremente a toda suerte de combinaciones; se permite, por decirlo así, toda clase de libertades. (Por eso sospecho que en el *Quijote* ha de encontrarse, si se encuentran en algún lado, las pocas confesiones o sinceridades del autor, tan hermético siempre.)

Cervantes, en la estructura paródica, puede escribir más libremente que nunca, puede permitirse todas las licencias lingüísticas posibles, ni siquiera el estilo le sirve de límite o correctivo. Y esta actitud se traduce inmediatamente en comicidad, en ironía, en humorismo.

Es claro que Cervantes no se iba a conformar con el juego de dos universos, es claro que era capaz de innovar, de crear nuevos universos, y es claro también, porque así lo ha dejado escrito, que su genio le iba a permitir adensar y significar todos los elementos de la estructura paródica; pero lo que significó, como queda escrito, no pertenece a este estudio.

Contentémonos, por el momento, con habernos aproximado a este complejo juego literario que constituye una estructura paródica, materializada en una de las mayores novelas que vieron los tiempos pasados, ven los presentes y esperan ver los venideros.

París y Madrid, 1980 y 1981.

ESTE LIBRO SE TERMINO DE IMPRIMIR
EN LOS TALLERES GRAFICOS DE GREFOL, S. A.,
POLIGONO INDUSTRIAL DE LA FUENSANTA,
MOSTOLES, MADRID,
EN EL MES DE ABRIL DE 1982

OTROS TÍTULOS
DE LA
COLECCIÓN PERSILES